成長したい人のための1on1（ワンオンワン）活用バイブル

上司との対話で最大の成果を得る！

LINDELY&CO.,LTD.
代表取締役／
エグゼクティブコーチ
佐々木葉子 著

はじめに

本書は、昨今企業で多く取り入れられる上司と部下で行う1on1ミーティングの効果を上げるコツを、部下目線で紹介しています。

企業で取り入れられている1on1は、コーチングとの共通点の多いアプローチです。特に、それを受ける側（部下）の成功や成長を支援するという目的や、対話によるアプローチが共通しています。

私は約23年前に初めてコーチングに出会って以来、クライアント（コーチを受ける方）の変化にどう貢献できるかを考え、練習してきました。同時に、私も常にコーチをつけ、受ける立場でもかかわってきました。結果、コーチング（1on1）は、「二人で創り出す対話」こそが大事と深く実感するに至りました。効果を上げるには、コーチ（上司）だけでなく、受ける側（部下）も、技術や心構えが必要なのです。

第1章は、理論や考え方の知識をシンプルにまとめました。さらっとでよいので読んでください。

第2章、第3章は、1on1を受ける技術を取り上げました。スキルそのものは、コーチ（上司）側が実施する「コーチングスキル」と同じですが、視点を転換すれば部下目線でも有効なものが大変多いのです。普段の会議や業務全般に応用できるものばかりです。

第4章は、自分の意識やスキルだけではどうにもならない困ったケースをいくつか取り出して、対応例を書きました。

組織内で上司の1on1ミーティングを実際に受けている皆様が、より多くの気づきや成長への足がかりを得て、上司との良い関係性を構築されることに、お役立て頂けたら本当にうれしいです。

リンドリー・アンド・カンパニー株式会社
LINDELY&CO.,LTD.
代表取締役・エグゼクティブコーチ
佐々木葉子

本書の使い方

本書は、企業で1on1を受けている人を対象に、1on1を最大限に活用できる方法を文章とイラストなどで紹介しています。

ポイント

ここで学ぶことができる知識や、身に着けられる技術の内容がわかります。

番号

1章から4章まで、全部で35の1on1のコツを紹介します。

タイトル

このページで学ぶことができるメインテーマとなる内容です。本書では1on1ミーティングを、「1on1」と略して表記しています。

本文

ここで伝えたい内容を、文章で詳しく解説しています。特に伝えたい内容は、マーカーで色をつけています。

01

ここがPOINT!

1on1は、上司と部下による「対話型コミュニケーション」

そもそも1on1って何ですか?

1on1は、今注目される新しい目標管理・人材開発手法

もともと1on1は、コーチングのセッションやビジネスの会議を「1対1で話す場」という形式を表現する言葉 でした。

現在、1on1というと、「上司と部下が1対1で行う、定期的な面談」のことで、今注目されている新しい目標管理・人材開発手法です。

従来から行われてきた、上司と部下が行う面談とは、何が違うのでしょうか？　従来の面談は、社員を評価することが主な目的でした。そのため、評価のタイミングのときのみ行われ、中身も上司が一方的に話し、部下は受け身で聞くといった、「一方向型コミュニケーション」で行われがちでした。

現在注目される1on1は、上司と部下がフランクに対話をしながら、部下の自発的な発言を尊重する、**コーチングの手法を用いて行う「対話型コミュニケーション」**であるのが大きな違いです。

16

イラスト

イラストを使って、わかりやすく表現しています。右のキャラクターは、あなたの分身。自分の成長と重ね合わせみてください。

1on1 シートを活用しよう！

本書のP89には、ダウンロードして使える「1on1シート」がついています。1on1を行うさいのメモや振り返りをより効果的に行えます。

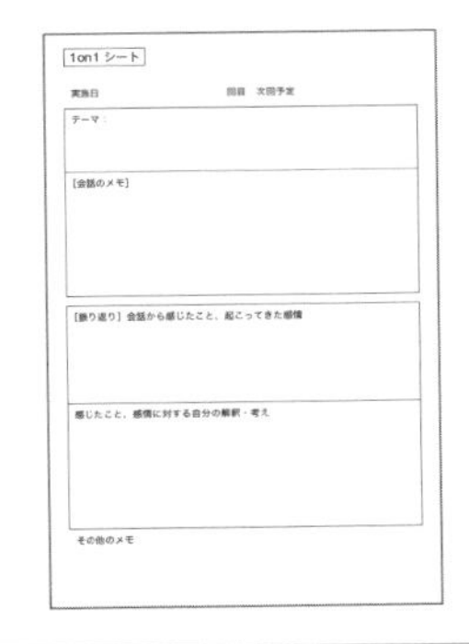

1on1 シート

実施日　回目　次回予定

テーマ：

[会話のメモ]

[振り返り] 会話から感じたこと、起こってきた感情

感じたこと、感情に対する自分の解釈・考え

その他のメモ

一方向型コミュニケーション

従来の人事面談

対話型コミュニケーション

1on1

未知の目標や課題に対して、対話を通して、部下の能力を最大限に引き上げて目標達成させていくのが 1on1 の目的。

どうして 1on 1が 注目されたの?

最初に目標管理の仕組みとして1on1 面談を活用し始めたのはGAFAM（ガーファム）※などのアメリカのIT企業と言われます。導入の背景には、大きく2つの理由があります。

1つ目は技術革新やビジネスのスピードの加速です。現在のビジネスシーンは、目標を立てても半年もすれば陳腐化してしまいます。

2つ目はビジネスモデルの転換です。異業種への新規参入が当たり前となり、上司が持つ知識や技術が通用しないことが多くなっています 。

そんな背景の中で、上司と部下が「定期的に目標を確認し合う」「対話を通して成長を支援し目標達成（成果）を目指す」1on1 が注目されるようになりました。

※ Google、Amazon、Facebook（現Meta）、Apple、Microsoft という、強大な影響力を持つ企業の頭文字を取った呼び名。

まとめ

1on 1は、
変化の著しいビジネス世界を生き抜く、
コーチングのスキルを活かした人材育成法。

17

補助情報

タイトルに関連する情報や、それを補う情報など、様々な情報を掲載。

まとめ

このページで紹介する内容を、最後に要約して、わかりやすく「まとめ」ています。

成長したい人のための

「1on1」活用バイブル
上司との対話で最大の成果を得る！

もくじ

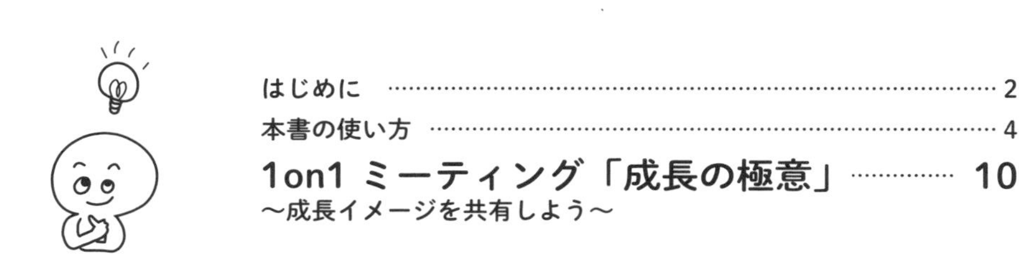

第1章 1on1 基本編
～部下目線で、目的や取り組み方を学ぶ～

第2章 1on1 コミュニケーション編
～より良いキャッチボールを目指して～

第3章 1on1 スキル編
～受ける側こそ、知っていると効果倍増！～

1on1ミーティング

ここでは、1on1 による成長のために特に重要な 7 つの「極意」を取り上げます。同時に、この本を通して、どのような成長を目指していくか、成長イメージを共有していきましょう。

極意 1

1on1 の本来の目的を最優先する!

企業によって1on 1の位置づけは様々ですが、**何よりも優先する最大の目的は「あなたが実現したい未来を創り出す事」です。**(P16 参照)

極意 2

上司とともに成長する!

変化の激しい時代、誰にとっても成長に終わりはありません。**コーチをする上司もまた、勉強の最中です。**上司と一緒に成長していく気持ちを持ちましょう。(P108 参照)

「成長の極意」

～成長イメージを共有しよう～

極意 3

対話は双方向で行う!

1on1 では、**上司も部下のあなたも話し手であり、聞き手です。自分の考えや気持ちを積極的に言語化して伝えましょう。**最初は、おたがいに相手をほめるフィードバックを、毎回1つずつしてみましょう。（P74 参照）

極意 4

変化を起こせるのは自分の言動だけ

いずれ上司が良い方向に変わる、と期待だけしても、**絶対に都合の良い変化は起こりません。**状況を変えられるのは、自分の言動よるアプローチだけです。(P44 参照)

1 年後

極意 5

上司にリクエストをする

どうしても上司（コーチ）に変えて欲しいことがあるときは、リクエストを出します。**時には、徹底的に対話をして解決することも必要です。**(P80 参照)

極意 6

自己認識力を高める!

自分がどんな価値観を大切にしているか、自分自身を深く知り、**自分のやる気を引き出すことが、あなたの成長につながります。**（P110 参照）

成長線

今、なぜ1on1（コーチング）が求められる?

現在は、VUCA（ブーカ）時代※といわれ、社会が急激に変化し、将来の予測が難しく、世界は複雑化し、つかみどころのない曖昧な世の中です。そのような新しい時代を生き抜ける人材には、「自ら考え、成長しながら、目標に向かっていける」力が求められます。まさに、そのような力を育てる手法として、1on1 が期待されています。

※ Volatility（変動性）、Uncertainty（不確実性）、Complexity（複雑性）、Ambiguity（あいまい性）の 4 つの頭文字で、現在という時代の特徴を表している。

極意 7

自律自走型エンジンを手に入れる

1on1を通しての対話と行動により、**目標のために自力で成長・成功し続けられる力を手に入れましょう。**それが『自律自走型エンジン』です（P19参照）。あなたが手に入れたい未来は、もう自分で創り出せるはずです。

1on 1を活かし、急成長する人は何をしているの？

1on1（コーチング）をする人をコーチ（上司)、受ける側をコーチー（部下）と呼びます。たとえ同じコーチでも、それを受けるコーチーの成長の仕方はまちまちです。いちじるしい成長をとげているスーパーコーチーに共通していることがあります。ひとつは1on1のメモをとること（P88参照)、もうひとつが次のセッションまでに必ず何か行動を起こし実践すること（P53参照）です。次のスーパーコーチーを目指して、ぜひ真似をしてみてください。

第1章

基本編

部下目線で、目的や
取り組み方を学ぶ

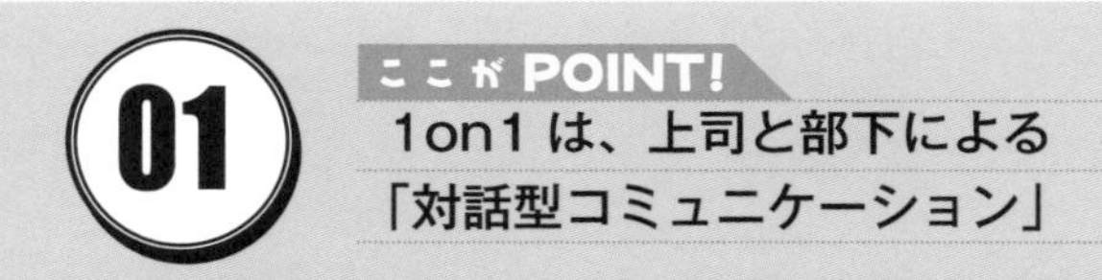

そもそも 1on1 って何ですか？

1on1 は、今注目される新しい目標管理・人材開発手法

もともと1on1 は、コーチングのセッションやビジネスの会議を「1対1で話す場」という形式を表現する言葉 でした。

現在、1on1 というと、「上司と部下が 1 対 1 で行う、定期的な面談」のことで、今注目されている新しい目標管理・人材開発手法です。

従来から行われてきた、上司と部下が行う面談とは、何が違うのでしょうか？　従来の面談は、社員を評価することが主な目的でした。そのため、評価のタイミングのときのみ行われ、中身も上司が一方的に話し、部下は受け身で聞くといった、「一方向型コミュニケーション」で行われがちでした。

現在注目される 1on1 は、上司と部下がフランクに対話をしながら、部下の自発的な発言を尊重する、**コーチングの手法を用いて行う「対話型コミュニケーション」**であるのが大きな違いです。

一方向型コミュニケーション

従来の人事面談

対話型コミュニケーション

1on1

未知の目標や課題に対して、対話を通して、部下の能力を最大限に引き上げて目標達成させていくのが 1on1 の目的。

どうして 1on 1が 注目されたの?

最初に目標管理の仕組みとして1on1 面談を活用し始めたのはGAFAM(ガーファム)※などのアメリカのIT 企業と言われます。導入の背景には、大きく2つの理由があります。

1つ目は技術革新やビジネスのスピードの加速です。現在のビジネスシーンは、目標を立てても半年もすれば陳腐化してしまいます。

2つ目はビジネスモデルの転換です。異業種への新規参入が当たり前となり、上司が持つ知識や技術が通用しないことが多くなっています 。

そんな背景の中で、上司と部下が「定期的に目標を確認し合う」「対話を通して成長を支援し目標達成(成果)を目指す」1on1 が注目されるようになりました。

※ Google、Amazon、Facebook(現Meta)、Apple、Microsoft という、強大な影響力を持つ企業の頭文字を取った呼び名。

まとめ

**1on 1は、
変化の著しいビジネス世界を生き抜く、
コーチングのスキルを活かした人材育成法。**

ここがPOINT!

「すべての答えは、自分の中にある」が、コーチングの原則

1on1で活用される「コーチング」について学ぶ

「ティーチング」と「コーチング」の違いとは？

スポーツ世界の指導者のことをコーチと呼び、そこで行われる指導が「コーチング」と思われがちですが、どちらかというとそれは「ティーチング」に近いことが多いかもしれません。

「ティーチング」は、監督（上司）が、選手（部下）などに、知識や経験に基づいて指導するものです。この手法は、変化の少ない時代や短期的に見れば成果を出しやすいかもしれませんが、変化の時代や長期的に見れば未知の問題を選手自身が自ら考え解決する力などは養いづらいと言えます。

一方「コーチング」は、コーチ（上司）と受け手（部下）の対話を通し、受け手の中にある答えを導き出します。コーチングの原則は、「答えはその人の中にある」という考えに基づいています。様々な問題に対して、自分の中に答えを見つけて、ときには答えを編み出して、課題を乗り越えながら成長を促していきます。

コーチングが目指す姿

深い自己信頼の末に生まれた
『自律自走型エンジン』

コーチングの究極の目的は？

コーチングの過程で「自分の力で成長し、目標達成できる」という体験をすることで、『深い自己信頼』を手に入れること。その結果、自分への信頼や主体的な姿勢が、目標のために自力で成長・成功し続けられる力『自律自走型エンジン』を得ることにつながります。

コーチングは、
「その人の中にある答え」を導き出し、
自力で成長・成功し続けられる人を育てる。

03

ここがPOINT!

部下にも、臨機応変な
使い分けが求められる！

1on1とコーチングの共通点と相違点

目指すところは同じだが目的は企業ごとに変わる

社内の1on1を、「コーチング」と呼ぶこともありますが、実は、コーチ（組織外の第三者）とクライアントが行うような、通常のコーチングのセッションとは、共通点と相違点があります。

共通点は、最終的なゴールです。コーチングの究極目的である『深い自己信頼』を得て、『自律自走型エンジン』を手にすること（**P19参照****）は、1on1のゴールでもあります。**ゴールが同じですから、その実現のために、コーチングで使われるスキルは、様々な部分で活用できます。

相違点としては、1on1は、組織内のマネジメントの一部であるということ。部下の中長期の成長を見据えながらも、短期的な業務の進行も考える必要があるケースも。ときには上司が部下にアドバイスをしたり、指導をしたり（ティーチング）ということもあり得ます。

部下にも判断力が必要！

コーチング視点

自分の成功を自分で作り出す場として、自分の内側の声を探すために、主体的に対話をリードしていこう！

ティーチング視点

今回は、すぐに結果を出すためにも、経験豊かな上司のアドバイスや指示を得てみようかな。

コーチングとの共通点

- コーチングのスキルのほとんどが活用できる
- 『深い自己信頼』を獲得することを目指す！
- 『自立自走型エンジン』を搭載する！

コーチングとの相違点

- あくまで組織内のマネジメントの一部
- アドバイスやティーチングが必要なことも
- 上司にコーチングの知識がないことも多い

まとめ

部下は、共通点と相違点を理解し、状況によって1on1での対話を使い分ける客観的判断力が求められる。

ここがPOINT!

コーチングの成果を最大限に発揮するのは、あなたの「主体性」！

本人のやる気がなければ成果は上がらない

効果が出ないのはあなたの姿勢に問題あり!?

私が二十数年、コーチングを学ぶ過程で、多くのコーチのお世話になりました。**コーチングを受けることで、モチベーションが上がって成長を実感できたこともあれば、どうしても上手くコーチングを活用できず思ったような成長を実感できないこともありました。**

どうして、このようなバラつきが出るのでしょうか？　コーチに問題があるのだろうかと思ったり、相性の問題かと思ったり…。しかし、試行錯誤の末に行き着いたのは、**「コーチングを受ける側（私自身）に問題がある」**ということでした。

コーチングの効果を最大限に発揮するには、「コーチングを受ける側も、知識や技術が必要で、何よりもコーチを主体的に巻き込みながら取り組むものである」ということです。つまり、**本人がやる気を持ち、積極的に取り込む姿勢が何よりも大事なのです。**

ゴルフのレッスンでたとえると…

■ケース1　知識や技術が身につかない

プレイヤーA

何年経っても
成長しない

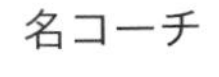

- やる気がない
- さぼりがち
- 自主練しない

数々の名選手を育ててきた一流のコーチ。

■ケース2　知識や技術が身につく

プレイヤーB

成長しやすい

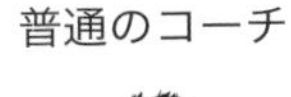

- やる気がある
- 休まず通う
- 自主練もする

経験の浅いコーチ。
ガッツとやる気はある。

**たとえ名コーチであっても、
やる気のない人を、
成長させるのは至難の業。**

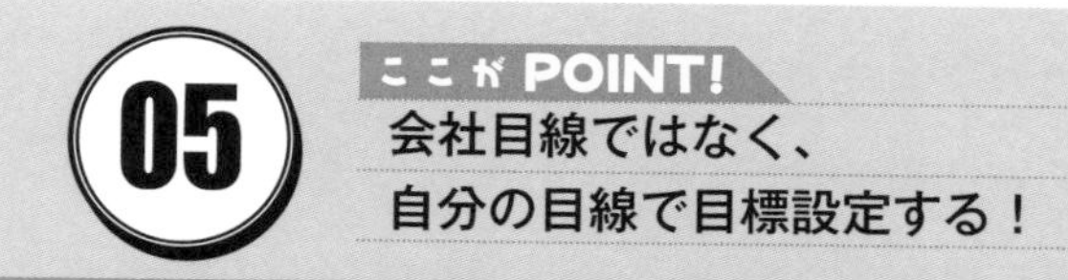

1on 1で目指すものを明確にしよう！

まずは最終的なゴールから考える

業務を任されたとき、最初にゴールを確認するのは誰しもが行っていることです。いつまでに、何を、どんな状態にしておく必要があるかというゴールが定められているからこそ、そのプロセスとしていつまでにはどんな作業が終わっていなければならない、というプランが立ちます。この考え方を**「バックキャスト」**といいます。

実は、1on1 の目的も同様の考え方を適応することで、毎回の 1on1 ミーティングが充実し、最終的に手にする実りも多くなるのです。たとえば、ぼんやりとでもいいので「この部門で３年くらいたったら、プロジェクトリーダーを任せられるくらいになりたいな」など、**目指す目標を仮にでも設定してみてください。**すると、今の業務が直接その目標に関連しなくても、そこから学ぶべきことが明確になったり、今のうちに経験しておきたいことなどが見えてきたり、**今出来る事が見えてきます。**

最終目標からさかのぼって中期・短期目標を設定する

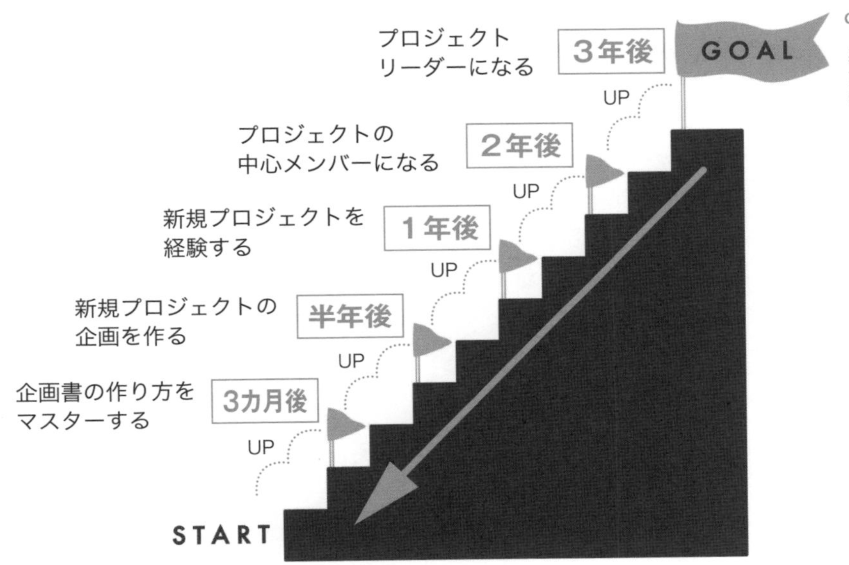

まずは最終的なゴールから考えていく

ゴールの設定の仕方のおすすめは、まず最終的な目標を設定することです。最終目標が、たとえば3年後にイメージする自分の姿だとしたら、そこからさかのぼって、2年後、1年後、半年などの目標を設定していきましょう。最初の1on 1で、この目標を上司とともに決めていくのも良いでしょう。

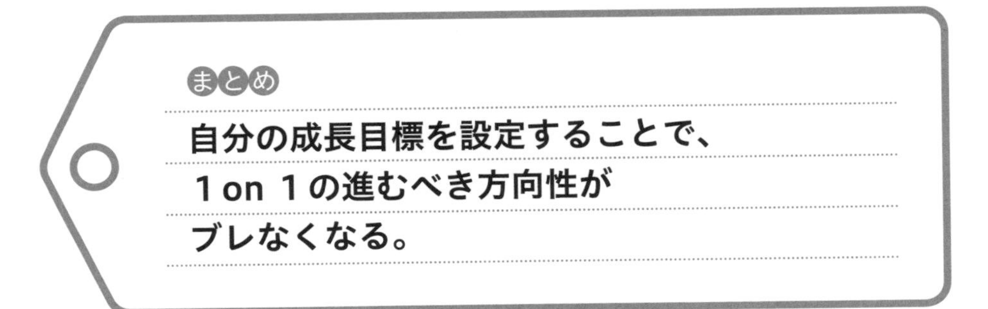

ここがPOINT!

1on 1の実践では、「経験学習モデル」の考え方を取り入れる

4つのステップで1on1を展開しよう!

自分の「経験」を起点として4つのステップを循環させる!

1on 1の進め方としておすすめしたいのが、「経験学習モデル」にのっとって行う方法です。これは、**「人の成長は経験によって促進される」**という考え方をもとに、デイヴィット・コルブによって体系化された学習プロセスです。

「経験学習モデル」は、自らの経験をもとに、そこから学びを得て、成長につなげていきます。具体的には、自分の経験を通して(経験)、それを振り返って(内省)、さらに学習につなげ(概念化)、実践していく(行動)という流れをとります。**この「経験・内省・概念化・行動」という4つのステップを、ぐるぐると循環させていくイメージです。**

この「経験学習モデル」は、1on1のために開発されたものではありませんが、1on1との相性がとても良く、この学習プロセスにのっとって取り組むことで、人の成長を促しやすくなります。

「経験学習モデル」の4ステップ

STEP1
経験

印象に残っている出来事について話す。

STEP2
内省

経験の意味や価値について探求する。

STEP3
概念化

経験から「気づき」や「学び」を導き出す。

STEP4
行動

自分が得た学びをもとに実践してみる。

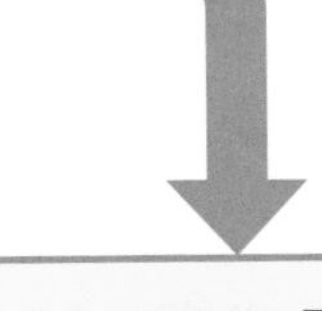

4つのステップの途中で区切ってもOK

1回60分程度の1on1ミーティングで、毎回、「経験」から深い「内省」や「概念化」を導き出し、次の「行動」につなげることは、なかなか難しいと思います。この4つのステップを意識しながら、定期的に行う1on 1を通して、少しずつ着実にステップを踏んで、循環させていくことを目指しましょう。「次回、概念化の続きから始めても良いでしょうか？　次までに考えておきます」など、長引きそうなときは宿題を残しつつ、途中で区切って次回に持ち越すのも良いでしょう。

STEP 1

経験

Concrete Experience

懇親会でクライアントから言われた、ささいな一言が何となく気になった。

自分の日常の中の「経験」を1 on 1 で話す！

1on1 は、上司がテーマを設定することもありますが、**原則は自分でテーマを準備してのぞむのが理想です。**では、どんなテーマが良いでしょうか？

そのテーマとなるのが「経験」です。日々を過ごす中で、「すごく良いなぁと感じたこと」「ちょっと気になっていること」「意識的に考えたいこと」などが、ここでいう「経験」です。

日常のたくさんの経験の中から、「自分の目標に関連するもの」「他者からの助言」「関連はないかもしれないがとにかく気になること」などを選ぶと良いでしょう。それが難しい人は、感覚的に気になることや話したいことを選びましょう。成長過程では「感覚」や「感情」も大事な題材です。

テーマにする「経験」の一例

- ミーティングで、取引先に言われた一言にすごく共感した
- 同僚の仕事のやり方が、ちょっと気になっている
- 上司と話をし、自分には長い目で見たビジョンが必要に感じた

STEP 2

内省（ないせい）

Reflective Observation

対話をしていく中で、自分が本当にやりたい分野の仕事が見えて来た。

自分の心と向き合って「経験」の意味や価値を探る！

「内省」は、自分の考えや言動を省（かえり）みることです。**これにより「経験」を通して考えたり感じたりしたことを、再解釈したり、意味づけすることができます。**このプロセスは、１人でも可能ですが、**対話によって行うのがより効果的です。**

「内省」が上手くいくと、１つの「経験」を起点に、自分自身についての気づきや発見につながることがあります。たとえば、「ミーティングで取引先に言われた一言にすごく共感した」ことを内省した結果、その仕事を任されたときのうれしさがよみがえってきたり、取引先と関わってきた場面を思い出したりします。すると、自分にとってのこの仕事の価値や、絶対成功させたいという感情がわいてきたりもするでしょう。これが、「概念化」の原石となります。

対話による「内省」が適している3つの理由

1 「違う視点が得られる」
2 「自分に見えない自分を教えてもらえる」
3 「面倒なことでも、直面することをうながされる」

STEP 3

概念化

Abstract Conceptualization

自分の成長につながる、新たなチャレンジの種が見えてきた。

「経験」から本質を見つけ学習につなげる！

「内省」が深まり、気づきや感情といった学びの原石を整理するのが「概念化」です。原石を見つけるだけでは学びにならないのはなぜでしょうか？

気づきや感情は、右脳で得た感覚です。一方、人は理解するにあたり、感覚的なことを左脳で思考して言語化することが必要なのです。

取引先への想いがわいてきた状態で、「つまりあなたにとって仕事をやり遂げるとはどういう言うことですか？」と聞かれ、「私は仕事を通して相手を『感動』させたいのです」と思考しながら言語化する。これが概念化です。

「概念化」しても、「本当にそこまでやりたいのか？」などさらに疑問がわいくでしょう。それを実践に取り込めば次の「経験」へとつながります。このように、人は自分を学びながら、成長プロセスを歩んでいくのです。

モヤモヤした状態が、学んでいる証拠

1 on 1で答えが出ずに、モヤモヤが残ることもあるでしょう。それはまさに学びの最中にある状態です。「自分の考え」「自分にとっての意味」など、自分の中の基準や法則を、時間をかけて見つけましょう。

STEP 4

行動

Active Experimentation

新たなチャレンジを企画書にまとめて、プレゼンに挑んでみた。

必ず最後には「行動」に落とし込む！

「経験」したことを「概念化」によって、学習につなげることができたならば、**必ず最後に「行動」に落とし込むようにしましょう。**必ずしも、大きな行動に結びつかなくても、「関連する本を読む」「紙に書き出して再度整理し直してみる」など、今できる範囲の行動で構いません。

とにかく半歩でも、今までやってこなかった行動をして、前進してみましょう。**そこで行動することが、新たな「経験」につながり、「経験学習モデル」の次のスタート地点になって、4つのステップが循環していきます。**

半年後、一年後に、前と比べて「考え方が変わった」「行動が早くなった」などの感覚が得られたなら、それこそが「成長」の証です。

まとめ

4つのステップで、1on1に取り組むことで着実に成長に近づいていける。

1on1 column 1

成長の近道は、師匠を持つこと

「変化・成長するコツ」は師匠を作って真似をする

「苦手なことや課題をスピーディに克服してしまう人」や「周囲から見てわかりやすく成長する人」には、ある共通項があります。

それは、「師匠」を見つけ、できる限りたくさん学び、真似をするということです。相手も人なので、自分の考え方や学習スタイルと合わないこともたくさんありますが、「自分の場合はそうは思わない」といったこだわりを全部わきに置いて、100%純粋にマネぶ（真似して学ぶ）のです。それこそが、「変化・成長するコツ」です。

私の友人に、この方法を活用して、5年間で多くのことを成し遂げた人がいます。「5キロも走れなかったのに、今はウルトラマラソン（70キロ、100キロなど）に定期的に参加する」「YouTuberになった」「本を5冊出版した」「10キロの重量を上げるのがやっとだったのに筋トレに通い100キロを上げるようになった」などなど。

たった5年で、です。やり方は、その道のプロを探し、研修やトレーニングに参加して、その先生・トレーナーにまるで個人家庭教師のようにたくさんの質問をして、とにかく「あなたは何をやってそうなれたのか?」を

引き出し、そのすべてをやってみる、の繰り返しです。

言われたことを実践する　それが成長の近道！

コーチングスキルをテーマにした1on1のトレーニングなどを実施するとき、めきめきとコーチングスキルを上げていく人がいます。そういう人は、「質問力を上げるには、1on1の前に20個の想定質問をつくる、という準備を毎回やってみるとよいですよ」など私がおすすめしたことを、「そうなんだ！」と純粋に信じて素直に実践するのです。半年ほど定期的にトレーニングを続けていると、ロールプレイングなどで明らかにスムーズな対話ができるようになっているし、プロのコーチ顔負けの良い質問をたくさん活用するようになっていました。

コーチングを受けるエグゼクティブの方でも、ご自身の意識や行動がわかりやすく変化して、1年間の期間が終わるころには会議の様子も、業務の進捗スピードも変わってしまう、というような変化をもたらす方が一定数います。

このような方は、その過程で部下

や同僚、上司などの周囲からもらうフィードバックを非常に真摯に受け止めます。「いや、そんなつもりはない」など否定せず、まず言われたことをそのまま実践しようとします。

ひたむきに成長する姿は周囲の見る目を変える

1on1を受ける側も同じで、めきめきと成長につなげている人がいれば、その人を師匠として、どんな取り組みをしているかを聞き取り、真似してみましょう。「事前に話したいテーマを用意している」「毎回、メモをとって振り返りをする」「セッションの後は、必ずアクションに結びつける」など、様々なコツが聞けるかもしれません。また、このような姿勢を続けていると、周囲の見る目も変わってきます。あなたが1on1のフィードバックを真摯に受け止めて行動しようとする姿を見て、本気でこの人は変わろうとしているし組織を変えようとしているんだ、と感じてくれるかもしれません。徐々にあなたの言うこと、考えていることに関心を持ち始め、積極的に理解しようとしてくれるようになり、共に組織を変える協力者になってくれるのです。

第2章

コミュニケーション編

より良いキャッチボールを目指して

ここがPOINT!
じっくり考えたり、行動したりできる
適切な時間と頻度で行う

1on1の時間や頻度のおすすめは?

1回当たりの時間は60分
頻度は2、3週間に1度

1on1を行う目安の時間は60分が妥当だと考えられます。業務の話でも自分の話でも普段とは異なる視点で考えたり、掘り下げたりするので、**まとまった時間がないと、思考の途中で時間切れになってしまう**ためです。

とは言え、慣れないことを考えるのは非常にエネルギーがかかります。長すぎても集中力が切れて効果的に思考が深まりません。60分の時間設定の中で、途中、**雑談や生き抜きの会話をまじえながらリラックスして話せるのが理想**です。

1on1には、継続的な行動による変化を積み上げ、目標を達成するという全体設計があります。そのため小さなことでも行動することが大切です。そういう意味では、**1on1を行う頻度は、2～3週間が妥当です。セッション後、何か行動でき、かつ前回の話を忘れない程度の間隔**です。

時間の目安
60分

思考の途中で時間切れにならない十分な時間設定で、かつ集中力が持続できる長さ。

頻度の目安
2、3週間に1回

セッション後、何か行動することができ、かつ前回の話を忘れない程度の間隔。

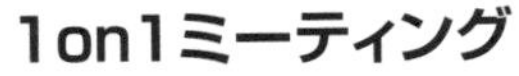

場合によっては15分や30分でもOK

すでに進めている行動があって、その確認を目的とする1on1であれば、15分、30分などの時間設定であっても目的は果たせます。ゆっくりと思考を深めていくようなタイミングのときは、できれば長めの時間をとりましょう。各回の1on1で取り組む内容によって、時間を変更しても良いでしょう。

まとめ

雑談も交えながら60分程度の時間でリラックスして話すのが理想。頻度は2，3週に1回がおすすめ。

ここがPOINT!

上司と部下がいきなり
心を開いて話すのは難しい…

深い対話のための土壌を耕そう!

お互いにリスペクトできる対話の土壌を育てる!

1on 1を行う上で、4つのプロセスによる「経験学習モデル」は、とてもわかりやすいモデルです。ただし、このモデルを使いこなすには、不可欠な要素があります。**それは「対話の土壌」**です。

「経験学習モデル」の「内省」や「概念化」には、深い対話が欠かせません。本音で向き合い、自分をさらけ出して、まだまとまっていない考えを話さなければいけません。それをいきなり、自分を評価する立場にある上司に対してできるでしょうか? 最初は抵抗感がある人も多いと思います。

上司と部下という関係でありながらも、出来る限り素直に自己表現するのに必要なのが「対話の土壌」なのです。つまり、対話をする上司と部下、**2人の間の関係性の質を高めることが求められます。どの程度の質かというと、安心感、信頼感、そしてリスペクトを、相互に感じられる状態です。**

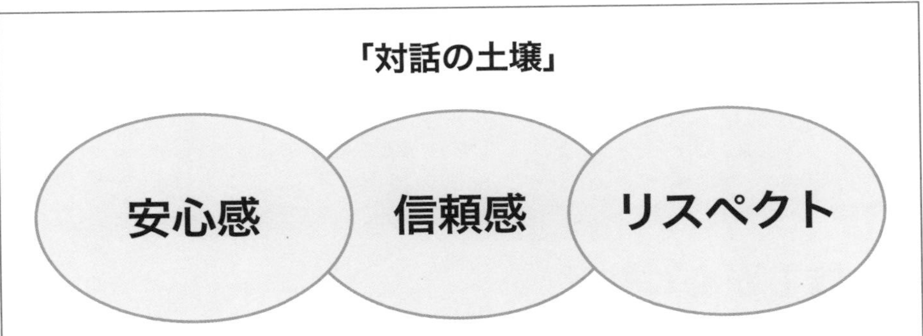

どうすれば「対話の土壌」はできるの?

対話の土壌づくりは、必ずしも1on 1を設けなくても、日々のかかわりあいの中で耕せるはずです。上司に仕事の相談をしたり、ちょっとした雑談をしたり、意識的に「対話の土壌」を耕していきましょう。個人的な考えでは、1on 1や普段のかかわりの、5～6割は、この土壌づくりのコミュニケーションと言っても過言ではありません。

まとめ

1on1や普段の雑談をふくめた
様々な会話を通して
安心感・信頼感・リスペクトを育んでいく。

ここが POINT!
２つのスタンスがあることを知り、
それを 1on1 の中で活かす

自分の今のスタンスを把握する

誰もが心に抱く２つのスタンスについて

私たちが課題に直面したとき、それに対する反応の仕方には、大きく２つのパターンがあると言われています。**まず１つ目が物事に前向きに取り組む「オープンマインド」です。もう１つが物事を悲観的にとらえて消極的になる「クローズドマインド」です。**

この２つのうち「どちらのスタンスでありたいか？」と問われたら、前者の「オープンマインド」を選ぶと思います。誰しもが、できるなら前向きな姿勢でいたいと思うはずです。

２つを並べて比較してしまうと、「良いか悪いか」で二極化して物事を考えがちです。しかし、大切なのは私たちは誰しもが、この２つのスタンスを、その対象や気分などによって、行ったり来たりしているのを認識する事。**自分が今、どちらのスタンスにあるのかを把握した上で、自分の行動を選択し決断しましょう。**

オープンマインド（主体的、建設的、学習者）

目の前の状況に対して、しっかりと目標を持って、自分に出来ることを考えて行動できる。常に可能性を信じ、より良い方法を探したり、他に出来ることはないかを考えたり、新しい視点ややり方を学び成長しようというとらえ方をする。

人は常に、この間を行き来している。

クローズドマインド（受動的、傍観的、被害者）

目の前の状況に対して、悲観的なとらえ方をする。「会社のせい」「上司のせい」「どうせ自分は…」などといった被害者的な発言も多くなる。何か行動をすることよりも、現状維持する事や自分を守ることを優先してしまう。人との接点も減りがちになる。

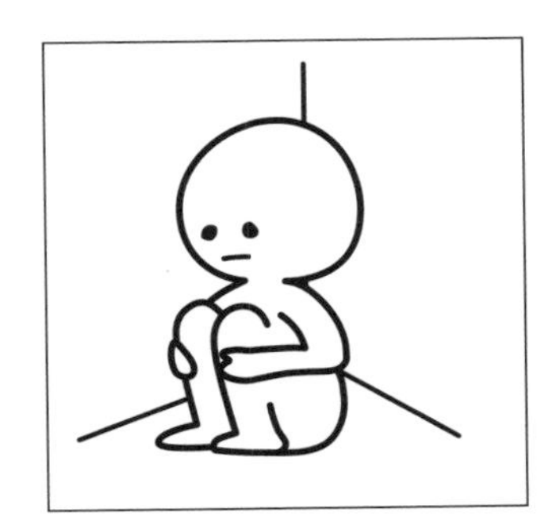

自分の今のスタンスを把握しよう！

小林さんのケース

小林花　32歳
食品メーカー　課長

結婚して5年目、子どものいない共働き家庭。家事は分担している。職場で部下もできて、現在の役職や仕事の内容にやりがいを見い出している。今は仕事が忙しい時期だから、家事の免除をお願いしているが、「忙しいのはみんな一緒」とパートナーからはなかなか同意が得られない。しぶしぶながらも自分の担当する家事はやっているつもりだが、パフォーマンスは我ながら低く、やり忘れてしまうことも多い。

仕事　おおむね充実している

仕事ではプロジェクトのまとめ役をまかされている。メンバー同士の関係性はよく、みんな自分を信頼し、自由は発想で意見してくれる。自分もリーダーとしてチームを引っ張れる自信がわいてきている。上司との折り合いは必ずしも良くはないが、仕事全般を見れば比較的充実している。

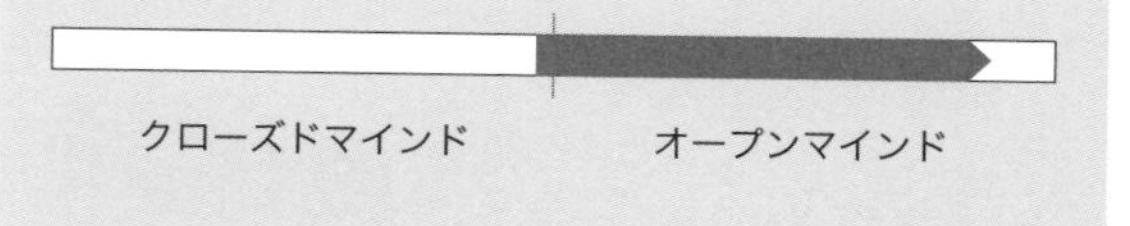

家庭　家事の分担がおろそかに

仕事で帰宅時間が遅く、パートナーと分担する家事がおろそかに。疲れて帰ったある日、「最近、家事を全くやらない」と文句を言われた。「忙しいと説明しているし、ちゃんとやっているときもある」という想いがわき上がり、無視して部屋に閉じこもってしまった。

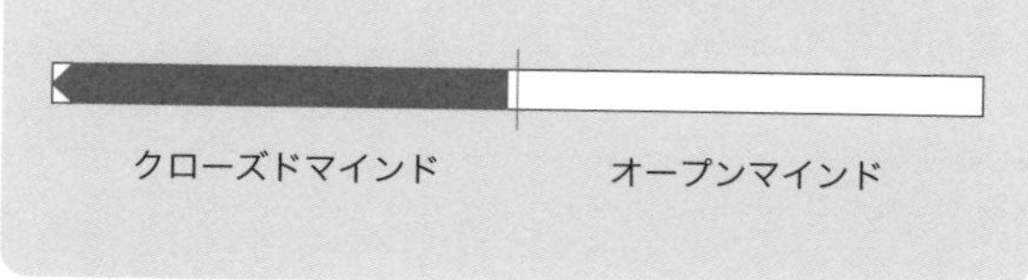

2つのスタンス
最後に選ぶのは自分自身

　左のケースのように、ある人の、同時期に起こった出来事であっても、オープンマインドとクローズドマインドのどちらの状態にもなりうる場合がある、ということがわかります。**2つのスタンスは、誰でも起こりうる感情であるという前提に立って、できる限り「オープンマインド」を目指したいところです。**

「クローズドマインド」になってしまったら、その瞬間に**気づけるようになることを目指しましょう。**「パートナーを無視していたのは、自分のスタンスがクローズドなためか…」と今の状態を認め、2つのスタンス、どちらの選択をするかをあらためて考えてみましょう。

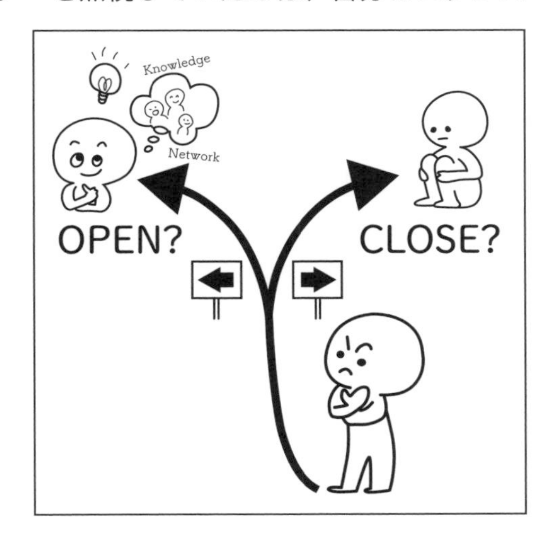

　最終的にいずれの選択をとるのも本人の自由ですが、**「クローズドマインド」の選択をすると、誰かに迷惑をかけ、嫌な想いをさせることになるでしょう。そして、あなた自身も決して楽しくはないはずです。**

まとめ

「オープンマインド」と「クローズドマインド」
どちらの選択も自由だが、
結果の責任は自分が負う。

10

ここがPOINT!

自分が変わることで、
状況を変えていける

変えるのは、上司ではなく自分自身!

他人が期待通りの状態に勝手に変わることはない

1on1を行う上司が、強固な価値観を持っていて、持論ばかりを話し、あなたの話す時間がほとんどない。そんな状況だったら、どうしますか？「上司に問題があるのだから、考え方や態度を改めてほしい」と思うかもしれません。

あなたの考えは、おそらく間違いではないでしょう。**しかし上司の考え方や態度は、あなたがコントロールできることではありません。**原則、他人は期待通りには変わってくれることはないのです。そう思っていた方が人間関係は上手くいきますし、過度な期待をして失望しなくてすみます。

それでは、どうすればよいのでしょうか？ **他人との関係性の中で上手くいかないとき、あなたがコントロールできるのは、あなた自身の言動だけです。**

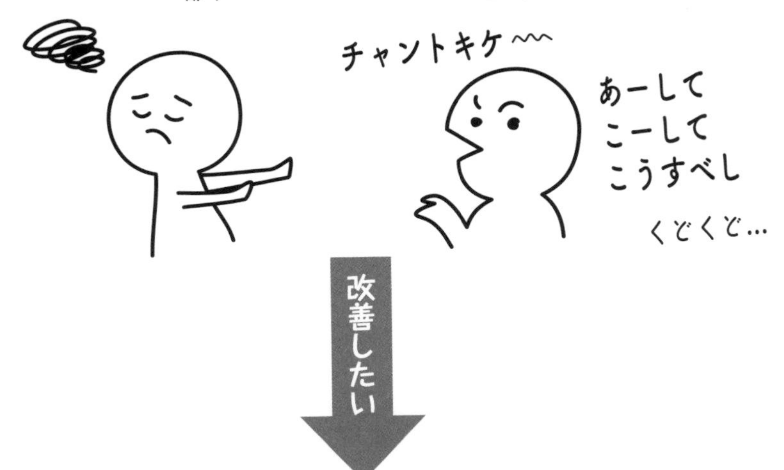

でも、上司の考え方や態度は、
コントロールできない。

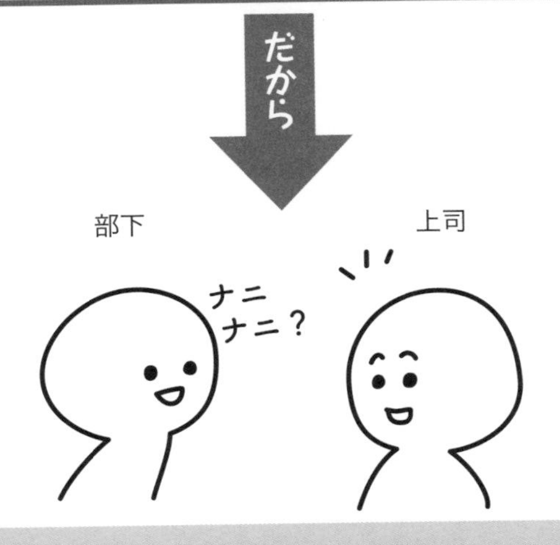

コントロールできる自分の言動で、
解決策を模索する。
それが、「オープンマインド」（主体的・建設的）な
1on1 のとらえ方。

上司のタイプ別改善例

ケース 01

Q. とにかく頑固で、自分の武勇伝ばかり話すのですが…

1on1 を担当する上司が、強固な価値観があり、自部の持論ばかりを話したり、自分の考えで結論づけたりします。1on1 をしていても全く面白くないし、時間の無駄だと思っている今日この頃です。

Fさん

改善例

A. 会話をリードすることにチャレンジ！

思考を自分で深められないときはもっと、「いろいろな角度から質問してもらえませんか？」「私に答えを考えさせてもらえませんか？」と、少し強引にでもアプローチしながら、主体的に会話をリードすることを目指してみましょう。自分の言動を変えることで、相手の反応が変わったり、関係性自体が変化したりしていくことは、十分に期待できます。

ケース 02

Q. 業務の進捗を伝えるだけになっている

私の上司は、口数がとても少なく、ロボットのように喜怒哀楽もよくわからない静かな人です。はっきり考えを口にするタイプではなく、私の話す内容への上司の反応もとても薄いです。

Tさん

A. やりたいこと、話したい気持ちをぶつけよう！

1on1で話したいテーマやアジェンダを、事前にメールで送っておくなど、「私はあなたと話したい」、という意思を積極的に伝えていきましょう。日常でも雑談をするなど、おたがい会話の土壌を耕すことも有効だと思います。こちらの気持ちが伝われば、応えてくれる可能性はあります。

まとめ

コントロールすることができる
自分の言動で、
状況の改善を試みる。

ここがPOINT!
主体的に関わるための、
具体的な手法を体得できる

主体的な
アプローチ方法

自己開示やリスペクトにより
上司との関係性を構築！

１on１を成功させるためには、誰かのせいにしたり、人任せにしたりするのではなく、自分自身が主体的に関わることが重要なポイントとなります。繰り返しになりますが、他人の態度や行動を、自分の期待通りに変えることは、出来ないからです。つまり、**自分自身がコンロールできる自分の言動によって、改善のアプローチをしていくこととなります。**

ここでは、1on1を上手く進めるための主体的なアプローチ方法として、**「自分を表現する」「言語化する」「リスペクトの気持ちを持つ」「アジェンダを持つ」「行動してから臨む」**という５つを取り上げます。

ここで紹介している主体的なアプローチ方法は、いずれも1on1を受けて成功している人たちが実践しているもので、あなたの目標達成の近道となる取り組みです。

おすすめアプローチ方法１

自分を表現する

自分の方から積極的に話す

1on1を成功させる上で、まず大切になるのは、上司との間の対話の土壌を耕すことです。これは普段の上司と部下の関わりや、ちょっとした雑談の中で、本来は育んでいくものです。難しく考える必要はなく、一般的な人間関係を構築していくプロセスと変わりません。

以下の「具体的なアプローチ例」を参考にして、**自分から積極的にコミュニケーションをとっていきましょう。ここでポイントとなるのは、「可能な限り自己開示をして自分を理解してもらうように働きかける」ことです。**

【具体的なアプローチ例】

- 自分から挨拶する
- 感謝を伝える
- 笑顔で接する
- 積極的に自分のことを話す
- 上司の良い点について話を聞く
- 上司の話をよく聞き、よく考え返答

積極的に心の扉を開こう。

おすすめアプローチ方法2

言語化する

伝えたいことは、必ず言葉で伝える

日本人のビジネスシーンで特に多いコミュニケーションのトラブルは、「言わなくてもわかるよね」とか、「言われなくても理解するべき」といった曖昧さによって生じています。**わかりやすいというのは、話の内容やしゃべり方が論理的かどうか以前に、きちんと言葉で表現することが基本中の基本です。**

1on 1においては、「私は何をしてほしい」「私は何を目指している」「こんなことで困っている」など、しっかり言語化して、上司に伝えることが鉄則です。それによって上司も、どうすればあなたを支援できるかを考えてくれやすくなります。

支援を受ける側が支援しやすい状態を作るということは、協力関係を構築するうえでは大切なポイントです。**基本的に人間は、言葉でコミュニケーションをとる動物です。テレパシーは使えないのです。しっかりと言語化して伝えるようにしましょう。**

テレパシーは使えないので、言葉にして伝える必要がある。

おすすめアプローチ方法3

リスペクトの気持ちを持つ

まずは相手に感謝の気持ちを伝える

1on1は、お互いにリスペクトの気持ちを持つことが大切です。相手にリスペクトを伝える方法として、すぐにできるのは「感謝」です。リスペクト（尊敬）とは、相手の考え、気持ち、行動に対して、「正しいか間違っているかを判断する以前に、まず敬意を表す」、そんな姿勢です。

相手の行動すべてを好意的にとらえ、感謝できることを探します。「時間をとってくれていること」「日々の業務のアドバイス」など、何でもよいので、感謝の気持ちを言葉で伝えましょう。相手はあなたに、耳と心を開きやすくなります。**同時に、感謝をすることで、あなたも相手への親近感や信頼感を覚えやすくなります。**

リスペクトには、相手に対する姿勢だけでなく、自分に対する姿勢も含まれます。**これは、自分が感じていることや、考えていることを認め、それを積極的に話すことで実現できます。**このような行動によって、自分の本音の再確認や自己信頼を高めることにつながります。

良い面を見て、リスペクトの気持ちを育み、それを伝える。

おすすめアプローチ方法4

アジェンダを作る

事前準備で、効果が大きく変わる

事前の準備として、話したいテーマ、手にしたい状態を言語化して整理したアジェンダを作ることをおすすめします。アジェンダとは、英語で議題のことです。これから予定している会議（1on1）で話す内容をまとめ、円滑な進行を目指すものです。

1on1 で実践する人の声を聞いてみると、**準備の時間はコーチングセッションの直前の 10 分とか、前日寝る前に目をつむって数分考えてメモをするなど、ほんのわずかな時間です。**でも、その時間をとるかどうかで、限られた対話の時間の中で、話したいことにいち早く飛び込めるため、内容の深さや効果が歴然と違ってくるのです。

まずは、次のことをまとめてアジェンダを作って臨んでみてください。きっと充実感は変わってきます。

- **前回から今までの行動**
  （行動していないなら理由）
- **何をテーマに話したいか**
  （取り組む仕事のことなど）
- **どんな状態で終わりたいか**
  （上司と情報共有できるなど）
- **その他の話したいこと**
  （気になることなど）

話す内容を決めておくことで、
内容が深まる。

おすすめアプローチ方法5

行動してから臨む

行動することが成長を作る

私は、社会人になってピアノを始めましたが、4カ月ほどで辞めてしまいました。理由は、練習をしなかったから。自主練習なしの限られたレッスン時間だけでは上達できず、先生も指導のしようがなかったのです。私自身、罪悪感やストレスで楽しむこともできませんでした。

1on1も同じです。対話だけでは業務は進まず、業務が進まなければ成長もしません。それほど、1on1からアクションプランを立て、実行することは大事なのです。**話したことからアクションを明確にすると、話したことに意味が生まれます。その後の行動で物事が前進し、次にまた話しが出てきて、1on1の目的も明確になります。**

上司（コーチ）と話すことで**自分だけでは考えなかった行動を導き、思わぬタイミングで行動を起こすことが重要です。**

課題を実行してから、次の1on1に臨もう。

まとめ

成功への近道となる
5つのアプローチ方法を
積極的に活用しよう。

12

ここがPOINT!

1on 1を楽しむことが目標達成の近道となる

そもそも1on1を楽しんでいるか?!

何よりも優先して欲しいのは1on 1を楽しむこと！

この本では、いろいろなコミュニケーションの方法や、コーチングのスキルを紹介しながら、1on 1をより効果的に取り組む方法を紹介しています。もちろん、それらを活かして、より良い1on 1を目指すのは、とても有意義なことです。

ただし、**上手に1on 1に取り組むこと以前に、まず大切にしてほしいと私自身が思っているのは、「1on 1のコミュニケーションを楽しむこと」です。**楽しいからこそ、記憶に残り、身体に残ります。楽しいことを一緒にやるからこそ、そこにより良い関係性が生まれるのです。

ときには、1on 1のための目標設定をすべて忘れて、あえて雑談を楽しむだけで終わらせることがあっても良いと思います。**「対話の土壌（P38参照）」を耕すことが、最終的には目標にたどりつく、最短コースであることもありうるのです。**

「対話の土壌」のサイクル

野菜を育てる

野菜を収穫する

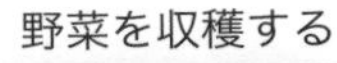

土壌に栄養を与え、耕す

畑の土壌は、野菜が収穫されると、栄養が吸い取られて痩せていきます。また、野菜が植えられていないときでも、畑に栄養を与え続け、栄養が培養されやすい環境を整えておく必要があります。

「対話の土壌」も同じです。「収穫出来たら、せっせと耕す」「まだ野菜は植えていないけれど、土壌を耕しておく」。そんな感覚で、上司との日々のコミュニケーションを楽しみながら、「対話の土壌」を育んでいきましょう。

まとめ

畑を耕すように、
「対話の土壌」も
いつも耕し続けよう！

ここがPOINT!

小さなゴールをたくさん作り、
少しずつ成長を重ねていく

自分の成長の測り方

小さなゴールを設定し コツコツ取り組む

バックキャスト（P24参照）を効果的に進めるために、「上手な成長の測り方」を紹介します。

1つ目に、大きな目標につながる、**小さな目標をたくさん作ることです。**これは、ダイエットや試験勉強など、コツコツ積み上げていく必要がある物事によく使われる方法。「明日はこれをやる」「1週間でこういう状態になる」とバックキャストとは逆に現時点から積み上げる形で小さな目標を設定します。

もう1つは、行動目標だけではなく、**能力目標を設定すること。**人は、意味や価値を感じる方が、単純作業よりも面白いと感じる傾向があります。小さな目標設定と並行して、その積み上げで得られる力（能力）も設定するとやりがいを感じられます。

目の前の行動の達成感、その継続による成長実感、最終目標に近づいている感覚がモチベーションを与えてくれます。

POINT!

小さなゴールは比較的簡単にできるものであるほど理想的です。

■試験勉強の場合

1日1ページ取り組む	小テストを受ける	間違えた難しい問題に挑戦	過去問題に取り組む	テストに合格する
小さなゴール	小さなゴール	小さなゴール	小さなゴール	大きなゴール

■仕事の場合

営業の学習会をする	一人1日10件営業する	数字が上がらない人を個別フォローする	成功事例を共有する	チームの営業力をUPし、300件の契約をとる
小さなゴール	小さなゴール	小さなゴール	小さなゴール	大きなゴール

目標設定の仕方

「タスク（課題）」は小さな目標として設定しましょう。そのタスクの効率や品質を上げるために、どのようなやり方を習得したいか、考え方を身に着けたいかという「能力目標」を、大きな目標に設定すると良いでしょう。

そしてもう一つ、能力が上がったら達成できるであろう業績目標につながる「結果目標」も定められるとなお良いでしょう。

例
タスク　一人1日10件営業する
能力目標　チームの営業力をアップする
結果目標　月300件の契約をとる

「数字が上がらない人をフォローしたら成績が伸びた」（小さなゴール）、「チーム目標を達成した」（大きなゴール）など、ゴールの到達で人は成長を感じられます。

まとめ

大きな目標達成も、小さな一歩から。
できなかったことができたとき
人は成長を実感できる。

ここがPOINT!

「知識や技術」と「考える力」、2つをバランスよく成長させる

大人の成長について

大人の成長には バランスが大切

大人は成長しないと考えている人もいるようですが、発達心理学では、**「人は年齢を重ねても、成長余地がある」**と考えられています。ただし、子どもの頃の成長とは異なります。

まず、「子どもの成長」の場合、最初に「知識や技術」を身につけ、次に考える力などの「能力的成長」があるというように、人の成長プロセスは一直線上に、積み上がるように並ぶと考えられています。

一方、精神的に成長した後、つまり「大人の成長」の場合は、**「知識や技術」と「能力的成長」は、それぞれおたがいに影響・補完し合う関係にあります。**

よくあるのは、今ある知識や技術でやりくりしながら、「能力的な成長」ばかりを重んじ、「知識や技術を軽んじる」ケースです。1on1から成長につなげるさいの参考にしてみてください。

■子どもの成長

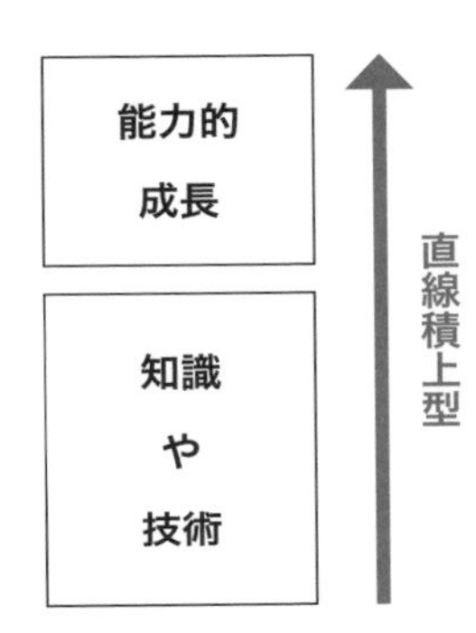

知識や技術で土台を作ってから、考え方などの能力を積み上げる成長の形。

■大人の成長

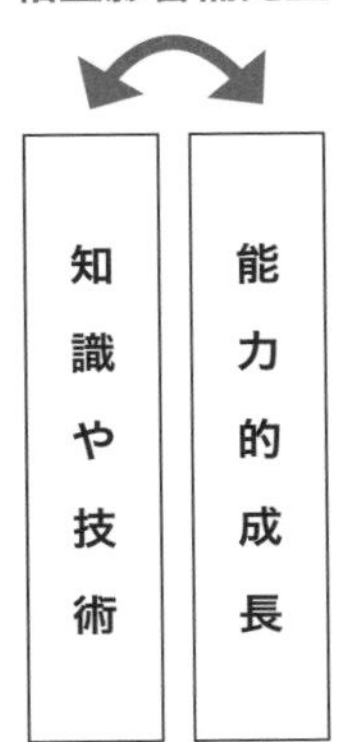

知識や技術と、考え方などの能力が、おたがいに影響し合いながら成長していく形。

大人は２つをバランス良く行うのが成長の近道。

知識や技術を伸ばす方法

本を読む

知識を聞く

勉強をする　など

能力を伸ばす方法

研修を受ける

現場での実践

フィードバックをもらう　など

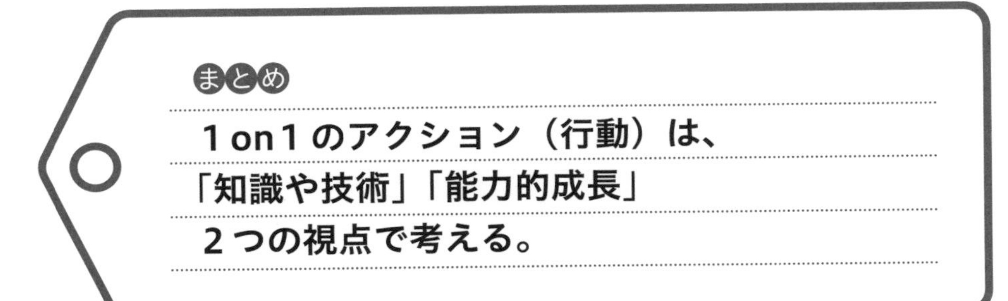

まとめ

1on1のアクション（行動）は、「知識や技術」「能力的成長」２つの視点で考える。

ここがPOINT!
向き合える場があることは、
心のよりどころになりうる

相手と向き合う

向き合う真髄は、子に向き合う親にあり

子どもにとって、親にしっかり話を聞いてもらい、受け止めてもらえる体験は、**「自分の存在を認めてくれる人がいる」という大きな心のよりどころになります。**その後、何か失敗をしたり、弱い自分に負けそうになったりしたとき、心を強く持つ支えになります。そこに、相手と向き合うことの真髄があります。

1on1は、コーチングのように「目標達成のための対話」に直接的になっていなくてもよい、としている企業も多くあります。もちろん、雑談をし続けて仲良くなるのを目的としているわけではなく、中長期的な部下の成長や成果に向けた投資であることに変わりません。そのような流れの中で、**まず上司と部下が「向き合う」ということが、改めて着目されています。**相手と向き合い、言葉を受け取めることに大きな意味があることを、「子に向き合う親の姿勢」が教えてくれます。

向き合うことの効果

親と子

親が向き合って、その子どもの思い、感覚、感情を大切に受け止め、その存在を認める。

向き合ってくれる人がいる心の支えが、弱い自分に負けそうになったりしたとき、心を強く持つ支えになる。

1on1（上司と部下）

上司と部下が、おたがいに敬意をもって向き合い、相手の感情や考え、言葉をしっかりと受け止める。

もっとチャレンジできるようになったり、自分の弱さを自分で克服したりする強さ（アジリティ）を養える。

しっかり「向き合う」ことで、チャレンジ精神やアジリティを養うことにつながる。

1on1 column 2

プラン通りにいかなくてもキャリア形成は大丈夫!?

目指した職業に就いたのは100人中2人だけ

人は何かの目標を立てたり、計画をしたりしますが、必ずしも思い描いた通りになるとは限りません。たとえば今、あなたが就いている職業は、昔からやりたいと思っていた仕事や職種でしょうか?

スタンフォード大学のジョン・D・クランボルツ教授が提唱した『プランド・ハップンスタンス（Planned Happenstance）』という考え方があります。これは日本語では、「計画的偶発性理論」と訳される、比較的新しい仕事にまつわるキャリア論です。

仕事を通じて経験やスキルなどを蓄積して、自己実現を図っていくプロセスを「キャリア形成」といいます。もともと「キャリア形成」は、本人が目標を定め、その達成に向けた意識と行動をとることで実現されるという枠組みで考えられてきました。

ところが、クランボルツ教授らの調査によると18歳の時点で目指していた職業に就いている人は、母数のたった2%でした。つまり、100人いたら目指していた職業に就けた人は2人だけということ。目標を持って計画（プラン）を立てても、その通りにはなっ

ていないという現実があったのです。

プラン通りではなくても価値観や欲求は反映される

では、目標通りにならないのであれば、「プランを立てることは意味がないのか?」というと、そういうことではない、とクランボルツ教授は結論づけています。

まず最初に、人は、自身の価値観や欲求を認識し、それを満たすような職業を目標として定めます。しかし、残念ながら、就職試験で不合格になるなどの外部の影響で計画が狂い、思い通りの職業に就くことが出来ませんでした。そして、異なる職種に就き、全く別の人生を歩んでいるかのように一見思えます。

しかし、その中でも一つひとつの岐路において選択しているのは自分です。選択するのが自分である以上、表面上の目標としていたものと異なる職業に就いても、最初に計画したときの自分の価値観や欲求を満たすことにつながっていきます。それが『プランド・ハップンスタンス』の考え方です。

ここでも、成功のカギは オープンマインドにある

『プランド・ハップンスタンス』は、最初のプラン通りにならなくても、そこで計画した自分の価値観や欲求が、何らかの形で今の選択した職業やキャリア形成に反映されていると説明します。

ここでの成功のカギとなるのは、「目標を定めつつも、あらゆることに興味を持ち、新しい人や経験に積極的に出会うこと」です。ここでもポイントは、「オープンマインド」なのです。選択肢を広げ、一見関連がなさそうに見えても建設的にとらえてみる。その結果、自分の価値観や欲求に合う選択肢を手に入れやすくなるのです。

これは、形を変えたプランの達成とも言えます。最初に抱いた価値観や欲求を大切にしながら進むことで、結果として、最初に思い描いた道よりも、さらに良い道を進んでいることも十分にあり得るのです。

第3章

スキル編

受ける側こそ、
知っていると効果倍増！

ここがPOINT!

まずはしっかり受け取る。
それを活かせるどうかは、自分次第

フィードバックを受ける

どんなフィードバックも いったんは受け止める

フィードバックは常に建設的に受け止めることをおすすめします。Aさんからのフィードバックは受け取るけれど、Bさんのフィードバックは価値観があまり合わないので受け取れない、といった**取捨選択はしない**ことです。

フィードバックは自分でも気づかないことで、相手だから見えることや感じられることを言葉で伝えてくれる行為です。伝える側になるとその難しさや、伝えることにいかにエネルギーが必要かわかると思います。

どんなフィードバックも、自分の成長や、そのフィードバックをしてくれた人との関係構築において、きっと何か学習できることがあるはずだ、と前向きに捉えること。そして、**どんなフィードバックも、いったん受け止めて考えてみる。**それがフィードバックを受けるときの鉄則です。

フィードバックを受ける技術1

耳の痛いフィードバックの受け方

自己正当化システムを制御しよう！

私たちはみな、「自分は正しい」と強く信じているところがあります。フィードバックを受け取りにくくする正体は、この自己正当化です。**特に自分の課題点や耳の痛いことに関して、自己正当化システムは驚くほど敏感に反応します。**

自己正当化は、まず自分のことが他者から投げかけられると、瞬時に「良いことか、悪いことか」と二極化して判断します。そして、「悪いこと」と受け取ると、これもまた瞬時に「いいや、私は正しい」と反応します。

この仕組みを理解しておかないと、無意識で自己正当化システムが稼働し、自分の成長につながるフィードバックは一切入ってこなくなります。フィードバックの受け取り方のステップ（下記）を知り、練習することで、上手く制御していきましょう。

フィードバックの受け取り方のステップ

1. 相手の言ったことを聞く（できればメモ）
2. 「ありがとうございます」と感謝を伝え、受け取る
3. 相手の意図や言葉で理解できないことがあれば質問する
4. 答えてくれたら、最後まで聞く（できればメモ）
5. 「ありがとうございます」と感謝を伝え、受け取る
6. 自分からもフィードバックを伝える（言い訳や説明ではない）
   例「今は混乱してますが、もう一度考えてみます」
7. 受け取ったフィードバックを振り返る（P72 参照）

POINT!

特に重要な練習ポイントは、1と6。1では言い訳したい気持ちをグッと抑えて受け止めます。6ではニュートラルに気持ちを伝えましょう。

フィードバックを受ける技術2

フィードバックの活用法

前向きに振り返る時間を持つ

フィードバックを受け取ったら、その情報を前向きに活かすスタンスで振り返りの時間を取りましょう。ひとりで書き出しながらリフレクション（P88）をするのも良し、安心できる相手と話しながら振り返るのも非常に効果的です。

ただし、**フィードバックは、あくまで相手の考え、価値観、感覚を基準として発信されたものです。必ずしも相手の言うことをうのみにして取り入れる必要はありません。**たとえ、上司という影響力がある相手であってもです。

1on1の中でやり取りされるフィードバックは、最終的にはあなたの成長や目標達成、ひいては、そのための上司との信頼関係構築に活用するものです。そのことを踏まえ、**何を取り入れるのか、どのように自分の考え方や行動に活かすのか、建設的に考えてみましょう。**

【上司からのフィードバック例】

上司「どうも最近、あなたには何度も同じことを言っている気がする。『私にやり方を聞く前に、まず自分で考えて提案をもってきてほしい』と3回続けて言っているけれど、それは受け取られていない感じがするよ」

【部下のフィードバックの受け方例】

「自分なりに考えた上で質問しているつもりなのだが、考えていないと伝わっているようだ。期限が迫ってしまってから持っていくから、回答を聞くことになってしまっていた。だとしたら、こういう風に考えているが煮詰まっているという風に、もう少し細かく報告と相談をして、『考え方』を学べるようにしてみよう」

フィードバックを受ける技術3

自ら受け取りに行く

上司にフィードバックを貯めさせない

受け取る側にとって耳に痛いことは、伝える側も躊躇するもの。伝える前にあれこれ考え、雪だるまのように言いたいことがつのり、重たいメッセージになりがちです。

受ける側も、何の心の準備もないところに、そんな重たいボールを投げられたら、大きなストレスを抱えてしまいます。

そうならないためにも、あえて言うほどではないかなというレベルのうちに、**さっさと聞いてしまった方が改善もしやすく、エネルギーもかからなくてすみます。**

「気になることはありませんか？」「私がもっとより良くできることはありませんか？」など、日常の中でフィードバックを自ら取りに行ってみてください。

上司も、気がかりが顕在化し、その場で解消できるかもしれません。
また、日ごろからフィードバックを聞く姿勢を示すことで、あなたは成長や目標達成に向けてオープンで前向きな人と評価してもらえます。

まとめ

すべてのフィードバックは、
言われなければ気づけない、
ありがたい情報、と受け止める。

ここがPOINT!

部下から質問することで、
よりコミュニケーションが深まる

質問はおたがいにする

部下も積極的に質問し
双方向の会話を目指す！

1on1を進めていく上で、上司の質問力はとても重要ですが、それだけではいけません。実際に、ただ質問に答えるだけの1on1は、質疑応答のようになって、楽しくはないでしょう。

思わず夢中で対話をしてしまうような1on1にするには、**みなさんからもどんどん質問をして、双方向のコミュニケーションを創り出すことが大切です。**参考までに、質問するシチュエーションと具体例を挙げておきます。

- **話しながら自分に疑問がわいてきたとき**
  「私の理解は、合っているでしょうか？」
- **相手の質問に対して疑問を感じるとき**
  「今の質問は、どんなねらいでされたんですか？」
- **わからないことを教えてほしいとき**
  「それは、どうやって学べば良いでしょうか？」

質問テクニック1

質問返し

失礼にならない配慮を！

上司から投げかけられた質問の意図がピンと来ないと、答えようがなかったり、発想がふくらまなかったりします。そんなときは、質問の意味や意図を確認する「質問返し」を、遠慮なくしてみましょう。

ただし、先に質問した側からすると、質問で返されるのは、基本的にはあまり気持ちの良いものではありません。そこで、質問返しをするときは、「質問してもいいですか？」「確認してもいいですか？」といった**同意を得るためのクッションクエスチョンをはさむと良いでしょう。**そうすれば相手も気持ちよく答えてくれます。

「質問返し」にはもうひとつメリットがあります。それは、上司が質問をした内容についての背景や理由が見えてくること。それによって、**相手の視点のおもしろさに気づけたり、新たな発見に出会えたり、思いもしなかった学びにつながるケースもあります。**

ときには質問に質問で返し、
意図を明確にすることも必要。

質問テクニック2

意図を伝える

丁寧に説明しながら質問！

上司の発言について、そう考えた理由や、よりくわしい説明を求めたいときがあると思います。そんなとき、**「なぜですか？」「つまりは？」といった短い質問は、言い方によっては失礼だったり、挑戦的だったりします。**

それを避けるために、質問の意図をしっかりと伝えた上で、「なぜ？」「つまり？」といった言葉を使うようにしましょう。たとえば、次のような使い方です。

「それについて、どういう風にとらえれば良いか知りたいのですが、なぜでしょうか？」

「純粋にどういう背景でおっしゃっているか知りたいのですが、つまりどういうことでしょうか？」

少し質問は長くなりますが、上司と部下との関係性を重んじるならば、言葉づかいに気をつけて相手に配慮しながら、しっかりと言葉で意図や目的を伝えたほうが賢明です。

言い方に気をつけながら、遠慮せず「なぜ？」を使ってみよう。

質問テクニック3

質問は全部前向きに受け取る

ネガティブを、ポジティブに変換！

私たちは、コミュニケーションをとるとき、言葉以外のメッセージも同時にやりとりしています。たとえば、「どうして？」という質問でも、声のトーン、表情、姿勢などから、「そんなことも出来ていないの？」という意味にとらえられることもあります。

しかし、1on1はあくまでもあなたが目標達成をするための時間。**たとえ上司の話し方に、否定的なニュアンスを感じても、まずはすべてを肯定的にとらえて返しましょう。**

例

上司「何で、放っておいたの？」

部下「申し訳ありません。わからないことを後回しにするクセがあります。改善したいので、そのことを話して良いでしょうか」

すべての言葉はあなたへのギフト。

まとめ

おたがいに
質問をし合うことで
活気のある1on 1が実現する。

ここがPOINT!
部下から上司に、
フィードバックできるようになる

フィードバックをする

「フィードバック」は 1on1では双方向で行うもの

「フィードバック」は、評価面談などの場面で、上司が部下の課題を指摘する行為と思われがちです。そのため、フィードバックと聞くと、「何か指摘される」のではと身構える人が少なくありません。**実際には、フィードバックは、もっとシンプルなものです。**

もともとフィードバックは、物理学、電子工学、制御工学などの領域の言葉です。たとえば、一定の力を加えた側（インプット）が、その結果が見える側（アウトプット）から、物は目標に対してどのくらい動いたかなどの客観的事実情報を伝えること。つまり、働きかける側が、受け手側から、事実を聞くという程度の意味合いです。

双方向のコミュニケーションで行われる対話である1on 1は、上司と部下いずれも、働きかける側と受け手側になりえます。おたがいにフィードバックを活用し、効果的な対話をしましょう。

フィードバックのテクニック1

客観的事実と主観的事実で返す

2つの事実を組み合わせて上司にフィードバックする

客観的な事実とは、あなたに見えること、聞こえることです。 たとえば、「回線がとぎれとぎれで聞こえません」「今日は、ずっと下を向いていらっしゃいますね」などと伝えるのは、客観的なフィードバックの例です。事実をナチュラルに投げかけてみると効果的です。

主観的な事実は、あなたにしかわからない感覚のことです。 たとえば、「今の一言をいただけうれしいです」などが、主観的なフィードバックの例です。自分の感想を伝えることは、あなたの状態がわかりやすくなるため「上司との関係構築」の上でも重要です。

また、上司が話をさえぎるために自由に話せないときなど上司の言動からあなたが良くない影響を受けているときは、「主体性を失わないため」に、勇気をもって上司にフィードバックすることが必要なケースも出てきます(P85 参照)。そのさいは、しっかりと**客観的な事実と、主観的な事実を伝えながら、フィードバックをしていきましょう。**

フィードバックでは、特に相手には見えない、自分の心のうち（主観的事実）を伝えることが大切。

フィードバックのテクニック2

フィードバックをニュートラルに伝える

目的は円滑なコミュニケーション！

フィードバックは上司が部下にする、という認識が広まっている中で、部下から上司にフィードバックを伝えることは、実際には難しいことでしょう。

でも、フィードバックを、二人の関係を誤解なく円滑にするためのものととらえて練習をすることは、**あなたのコミュニケーション力を大いに向上させ、今後必ず役に立つこととなります。**たとえばこんな風に行います。

「○○さん、１つよろしいでしょうか。（相手の返事を待つ）先週いくつかメールをお送りしていますが、お返事を頂いていません。そして今質問されたことは、すでに１週間前にご報告したことなのですが」

このようなフィードバックは、おそらく相手が無意識に悪気なくやっているであろうことが、こちらには大きな影響力を持つことを知らせることで、**コミュニケーションを円滑に進め、信頼関係を維持することが目的**です。

必要以上に感情的に相手を追い詰めたり、相手が悪いというスタンスで責め立てるような伝え方をせず、**ニュートラル（中立的）に伝えることがポイントです。**

自分にも、上司にも傾かない状態＝「ニュートラル（中立）」に伝えてみよう。

POINT!

フィードバックを伝えたら、必ず「どう感じましたか?」と、上司のフィードバックをもらいましょう。耳の痛いフィードバックの時はなおさら、上司にも自分の感覚を表現する機会を作りましょう。

フィードバックのテクニック3

ポジティブなフィードバックをする！

上司の良いところをたくさんほめる

大原則として、人はうまくいっていることや、良い点を指摘される方がよりたくさん話すようになりますし、笑顔も増えます。**結果として視点が広がったり、相手の話をよく聞くようになるのです。そんな相手に、好意を持ったり、信頼を寄せるのも自然な心理です。**

人の上に立つ上司になっても人間である以上それは変わらず、だとしたら、上司と多くの接点を持つ機会のあるあなただからこそ見える、**上司の良い点を積極的にフィードバックしてみてはいかがでしょうか？**

上司がポジティブな気持ちで自分の考えを表現してくれ、チームメンバーを信じていてくれることは、結果としてあなたのチームの雰囲気をよくすることにもつながります。**あなたの影響力は、上司を介してそんな風に発揮することもできるのではないでしょうか。**

上司の良いところを見つけ、どんどんほめていこう。

まとめ

1on1は双方向コミュニケーション
部下からも積極的に
フィードバックを行う。

ここがPOINT!

1on1をより効果的にするために
上司との関係性を見直す

ガチ対話で フィードバックの効果UP

ガチ対話を通して 本音を言える関係に

上司との会話で、なかなか本音で話せない、という人は少なくありません。その理由は、「言って得をするイメージが持てないから」というものです。

上司からすると、部下の本音がわからないから、自分の目線による一方的な評価しかできません。部下としては、なおさら本音が言えなくなる、**悪循環のスパイラルにはまります。**

1on 1は、このような関係を打破する良い機会です。そのきっかけは、ガチ対話（本気の対話）から始まります。おたがいにガチ対話が出来るようになると、**特にフィードバックによる情報が双方に意味を持ち、目的に向かった行動がうながされます。**

その上、本音の探求を共にしたことで、**おたがいに信頼や敬意を抱けるよう**になるうれしいおまけもついてきます。

上司

自分の目線や、その人のうわさなどによる情報で、一方的な評価をする。

部下

本音を隠し、自分自身でも本音がよくわからなくなっていく。

ガチ対話

POINT!

逃げも隠れもできない対話の場面を設定し、徹底的に対話をする。

ガチ対話 ＋ フィードバック

上司は、部下の本音の探究をサポートする形で、本音を知ることができる。

部下は、これまで自分でも気づかなかった、自分の本音を知ることができる。

本気の対話が出来ると
1on1の効果が高まるだけでなく
おたがいの信頼や敬意も生まれる。

ここがPOINT!

自分の要望を率直に伝え、
より良い1on1の環境を築ける

リクエストをする

状況を改善するために
リクエストをする

1on1の時間を効果的なものにするために、フィードバック（P78）とセットで活用してほしいスキルがリクエストです。**リクエストは、相手に対して「こうしてほしい」「こうしてほしくない」ということを伝え、相手に行動改善をうながすコミュニケーションスキルです。**

1on1では、本来の目的を達成するために必要なことであれば、基本的にはどんなことでもリクエストが出来ます。フィードバックと同じように、主観的な要望を言葉で伝えましょう。

具体的には「私の話を、一旦最後まで聞いてください」「前回お話ししたことを覚えていてください」といった言葉が、リクエストの一例です。なかなかインパクトがありますが、ときには、自分の気持ちを率直に伝えて、状況を改善することも必要です。

ここでは、リクエストの円滑な取り組み方を紹介します。

リクエストを活かす技術1

リクエストを使うとき

フィードバックと組み合わせてみよう！

特にリクエストを使って欲しい場面は、上司に行動改善を促すフィードバックをするときです。フィードバックは、自分が受けた影響を、客観的事実と主観的事実で返します。「客観的事実と主観的事実で返す」(P79 参照）も取り入れながら、セリフを考えましょう。

たとえば、「今日、3回話をさえぎられました（客観的事実)。正直、私は話したくなくなっています（主観的事実)」といった具合です。しかし、これだけ言われても、上司も困ってしまいます。

そこで、フィードバックに、「私の話を、最後まで聞いてください」など、リクエストを添えることで、行動改善をうながすことができます。

このような、フィードバックやリクエストの目的は、相手を困らせたり、仕返しをしたりすることでは決してありません。

あくまであなたが主体的に目標に向かって行動できる場を創るために行なうのです。

上司に対して、どうしても行動改善してほしいとき、リクエストをしてみよう！

リクエストを活かす技術２

リクエストの作法

相手をネガティブにさせないマナーを知る

リクエストは、**下手をすると相手のネガティブな反応や態度を引き出すリスクがあります。**だからこそ、できるだけそうならないための**作法が必要**です。基本的には、次の流れで行います。

① 同意をとってから話す
② リクエストを短く端的に伝える
③ 目的を伝える
④ 相手からフィードバックをもらう
⑤ 納得がいくまで話す

上司の気持ちを配慮するマナーを！

●例文

部下「一つお願いがあるのですがいいでしょうか？（①）」

上司「なんだい？」

部下「私の話を否定しないで、最後まで聞いてください（②）なぜこういうお願いをしているのかというと、私は今回のプロジェクトを自分の力で成功させたいのです。まずは私の視点からの話を聞いていただいて、そのうえでアドバイスをいただきたいのです（③）。私のリクエスト、どんな風に受け取っていただけましたでしょうか？（④）」

上司「……」（返事が来るまでゆっくり待つ）

リクエストを活かす技術３

リクエストは対話の入口

対話の先に相互理解がある！

納得いくまで徹底的に話し合う

リクエストに納得感があり、上司にすんなり受け取ってもらえれば、④で完了です。しかし、**相手が感情的に反応することもありえます。**

「話を最後まで聞かないのは悪かった。しかし、こちらも言わせてもらうが、君の話は目的が見えないまま続くんだよ」

ここからがリクエストのクライマックス「⑤納得がいくまで話す」です。**二人が、おたがいのリクエストを受け取り、納得して、次の建設的な行動につなげられるよう、途中で対話を放棄しないで徹底的に話してみてください。**

この対話こそが、リクエストをする価値です。今までよりも深い相互理解と信頼関係の構築につながります。下記に対話の勉強におすすめの本も紹介しますので、ぜひ参考にしてください。

参考図書：
『他者と働く――「わかりあえなさ」から始める組織論 』宇田川 元一著（NewsPicksパブリッシング）、『フィードバック入門 耳の痛いことを伝えて部下と職場を立て直す技術』中原淳著（PHP研究所）

まとめ

リクエストを通して、
より良い関係づくりや場づくりに
つなげていく。

ここがPOINT!
自分自身を客観的にとらえ
未来に活かせる学びを得る

リフレクションの時間を持つ

リフレクションで1on1を振り返る

リフレクションは、自分の内面を振り返ることです。日本語では「内省」という言葉が近いでしょう。「内省」の意味は、「自分の考えや言動について深く省(かえり)みる」ということで、ややもすると反省といったネガティブなイメージを持たれがちです。一方、**リフレクションは、自らの経験を省(かえり)みて、それを未来に活かすのが目的です。**ポジティブなのが、大きな特徴といえます。

1on 1が終わった後、学びを深めるために、一人でリフレクションを行ってみましょう。上手く取り組めるようになると、**自分自身のことを客観的にとらえ、様々な発見や気づきを得られます。**

ここでは、より良い1on 1をするためのリフレクションの基本的な活用方法を中心にしながら、さらに取り組みを深めることでたどりつける、リフレクションで目指す境地についても簡単に紹介していきます。

リフレクションを実践するための

認知の４点セット

リフレクションを実践するには、認知の４点セット（意見・経験・感情・価値観）を通して、自分自身について深掘りしていきます。まずは、この４つの観点から、リフレクションをしてみましょう。

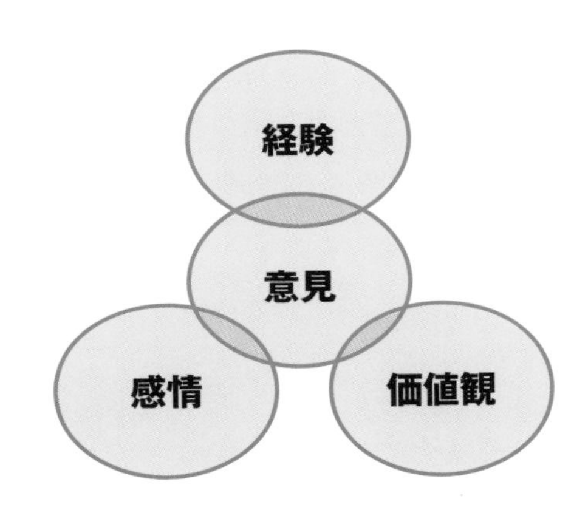

◆リフレクションの流れ

意見

1on1 や普段の日常を通して、「考えたこと」「思ったこと」などを書き込ます。

経験

「意見」の背景にある経験について書きます。「意見」のもとになるような過去の経験を思い出しましょう。

感情

その「経験」に対して、どのような感情を抱いたかを、率直に書き込みましょう。

価値観

これまでの意見・経験・感情の判断に用いた基準、大切にしていることを書き込みます。

認定の４点セットを使った

リフレクションの実例

実際に「認知の４点セット」を使った、リフレクション実例を紹介します。この例を参考に、1on1が終わった後に、一人でリフレクションに取り組んでみましょう。

● 1on1 のリフレクションの例

意見

これまで話したことのないプライベートの話をおたがいにしたことで、上司に親しみを感じ、壁がなくなった。

経験

上司は、中学生のとき怖かった部活の顧問を連想させ、恐怖心を勝手に抱いていた。

感情

恐れ、発見、親しみ。

価値観

抑圧された環境では、上手く働けない。自由な環境でこそ、自分らしさや本来の力が発揮できる。

応用することでたどり着く

リフレクションで目指す境地

リフレクションをさらに応用することで、自分自身の「動機の源」や「ビジョン（ありたい姿）」を導き出し、「現状」と比較していきます。すると「現状を変え、ビジョンとのギャップを埋めたい」という強い気持ちとともに、内発的動機である「クリエイティブテンション（自律自走型エンジン）」を生み出すことが可能です。これによって、創造性が高まり、逆境に負けない力が生まれます。

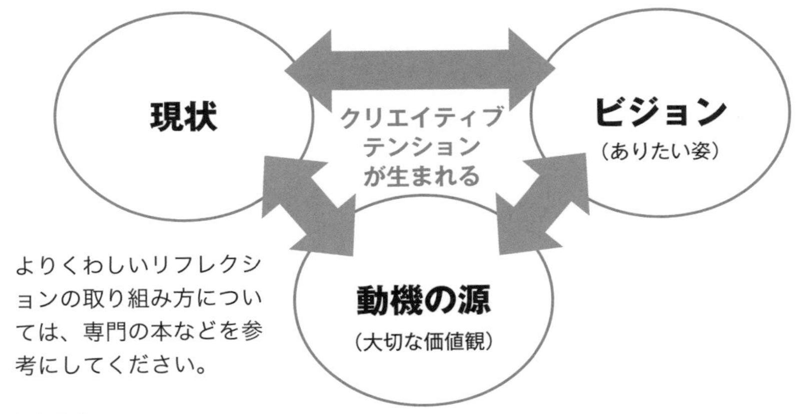

よりくわしいリフレクションの取り組み方については、専門の本などを参考にしてください。

参考図書：
『リフレクション（REFLECTION） 自分とチームの成長を加速させる内省の技術』
熊平 美香（著）（ディスカヴァー・トゥエンティワン）、
『瞬時に「言語化できる人」がうまくいく』荒木俊哉著（SB クリエイティブ）

ここがPOINT!

22

学びや感情をしっかり記録して
振り返りができる

1on1 のメモの取り方

会話のメモをもとに
振り返りを行う

1on1 を行う際には、メモを取りましょう。どのような形でも構いませんが、ダウンロードして利用できる「1on1 シート」を用意したので、利用してみてください。くわしい書き方は、実例（P90参照）とともに紹介しています。

右ページの「会話のメモ」の欄には、**1on1 当日の言ったこと、言われたことで、特に印象に残ったことを記していきましょう。**また、余裕があれば、そこで感じたことなどをメモしておくと良いでしょう。

その下の「振り返り」の欄は、1on1 が終わった後に活用します。ここには、**1on1 の会話で起こった感情から自分を探っていきますが、ここにはリフレクション（P84）の考え方も反映されています。**1on1 から得た気づきを、しっかりと未来の自分の成長につなげていきましょう。

3段階の流れで活用することで、効果がアップ!

1on1に取り組む前に、まずは話したいテーマを決めておくことで、スムースに話が進行します（①）。1on1の最中には、会話のメモの欄に、話した内容で重要に感じたことや、そのときの感情を書き留めておきましょう（②）。振り返りでは、1on1で話したことを思い出したり、会話のメモを見たりしながら、そのときの感情を元に、自分の考えを深めていきます（③）。この3段階の流れで1on1シートを活用するのがおすすめです。

1on1シートは、左のQRコードを読み取るか、
下のURLからダウンロードしてください。
URL　https://www.mates-publishing.co.jp/business_1on1/

※サーバーのメンテナンス等によって、当該ウェブサイトにアクセスできない場合がございますのでご了承ください。
※ウェブサイトやプリンターの操作方法、設定に関するお問い合わせへの対応は致しかねます。
※シートの無断転載や再配布、営利目的での利用はお断りします。

1on1 シート使用例

実施日 2023/7/4　　7 回目　次回予定 2023/7/21　13:00 ~

テーマ：

評価面談の事をもう一度話しておく

次の目標（キャリア全体含む、海外の話とか）

[会話のメモ]

人間関係　巻き込み　リーダーシップ

やさしすぎ　伝わっていない　人のモチベーションをマネジメント

＝変っていない　自分は良い

誰かと話す

[振り返り] 会話から感じたこと、起こってきた感情

もやもや　劣等感　もどかしい感じ　迷い　がっかり

成長したい

感じたこと、感情に対する自分の解釈・考え

自分の事を表現できていない
伝わった気がしない
↓
自分が自分の事を良く
理解できていないかも

焦っている？
ずっと仕事が変らないから？
どんな実績があるのか？

リーダーシップという言葉を聞くと、
ダメ出しされたような気持ちになる。

劣等感　自信がない

自分のスタイルと求められる事が
違うと思ってしまう

そもそもリーダーシップって
何か知らない？

その他のメモ

今やれる事に集中してみる！

1) リーダーシップの本を読む（おすすめの本を聞く）

2) 田中さんと話してみる（人の巻き込み方について）

日時

日付、回、次回予定を記入。次回の日時を明記しておくことで、このときまでにアクションするという動機づけになる。

テーマ

セッションの前に、テーマ、話したいことを整理しておく。言い忘れないようにするためにメモしておく。

会話のメモ

話しながらメモをする欄。原則としては、相手が言ったこと、自分が言ったことなどの事実を記録のために記載する。余裕があれば、話ながら思ったことなどメモしておく。

振り返り

セッションの後に振り返るための欄。メモを見ながら、「感覚」「気持ち（感情）」だけを思い出しながら言語化する。「感覚」は身体に起こったことや、「もやもや」のようなよくわからない感じも指す。慣れるまでは難しいが、自己認識を深めるうえでは大切な振り返りパート。

感じたことを言語化

「感情」の振り返りをもとに、どうしてそのように感じたのか、それらは自分のどのような価値観や考え方から来るのか、などを振り返り、言語化する。サンプルのように、答えが出なくても、自問するような問いの形式で書き残しておくのも OK。

その他のメモ

振り返りとは関係なさそうでふと思ったことなど、何でもメモできる欄。サンプルのように、振り返った後のアクションなども行動のきっかけになる。特に無ければ空欄のままでも可。

1on 1の会話や感情をもとにして
自己認識を深めたり、
次の行動につなげたりする。

ここが POINT!

お互いの時間を尊重して、
時間内に終わるように協力し合う

時間を守る

話が途中であったとしても終了５分前で一旦切る

継続的に、定期的に、1on1 の場を設けるためには、負担にならないことが大事です。そもそもお互いに忙しい中で、時間をとるわけですから、**設定した時間は必ず守ることが、続けられるコツです。**

実際に話し始めると、思いきり話が拡散してイメージを広がったものの時間オーバーとか、背景を説明しすぎて時間が足りなくなるとか、そんなことも起こるかもしれません。

楽しく話せていればそれは良いことではありますが、毎回ずるずると時間が延びてしまったら、後の予定に影響してきて継続性、定期性が保たれなくなりかねません。**たとえ話が尻切れトンボになっても、延長するのではなく、終了５分前になったら何かしらのアクションを決めて終わる。**これを必ず守ってみてください。

時間を守るための 1on1 の注意点

予定通り終わるためには、開始時間に遅れないことも重要です。その日、話したいテーマをあらかじめいくつか考えておきましょう。終了５分前になったら、次までに行うアクション（行動）を考えます。できれば次回の 1on1 の予定も決めましょう。予定の終了時間よりも早く終わることは問題ありません。

会話が尻切れトンボでもアクションを決められるの?

人は言葉として話している以上のことを、イメージしていたり、感じていたりします。言葉のやり取り上、尻切れトンボであっても、「何か行動できることはないかな？」と考えてみると、案外思いつくものです。

まとめ

会話が途中で切れてしまっても
時間通りに終わらせるのが
１on1 を継続し続けるコツ。

24

ここがPOINT!

1on1は感じたことを
自由に発想していく場

自由に考え表現する

常識・習慣のかせを外し 発想を自由に羽ばたかせる

1on1による、発想を広げたり、自由な感覚でアイディアを探したりするような対話の時間は、たとえ相手が上司でも、**質問に「正しく」答えようとする必要はありません。**

そうは言っても、相手が上司だと、期待されていることに応えようとしたり、論理的に間違いの無い答えをしようとしたりするもの。もはや常識、習慣になっているのですね。

私がコーチングをする際にも、「私の質問に正しく答えようとしなくていいです。質問を受けて思い浮かぶこと、感じることを言語化してください」と伝えます。

人は、自分が話したいことを話しているときこそ、創造力豊かに、感性が研ぎ澄まされてくるものです。そのようなもともと持っている力を発揮させる対話こそ、1on1の価値の一つではないでしょうか。

発想を広げ、深めるポイント

きれいな回答はいらない！

「木を見て森を見ず」という表現をよく耳にしますが、1on 1は、まさに森を見る機会です。思考を解きほぐし、視点を変えたり、視野を広げたりして、普段見落としていることや、物事の本質について考えることが重要になります。

◆普段の視点
木を見て森を見ず

◆1on 1の視点
森を見る

切り株、リス、地図…など思いつくまま言語化して良い。

脈絡のない答えでも構わない

受けた質問から自分の脳が刺激されて、全く違う場面のイメージが広がったら、そのことを言語化してみればいいし、話しながら違う発想が広がってきたら話が変わっていってもかまわないのです。むしろその方が、視点は変わる可能性が高く、日常・仔細・制限にとらわれずあるべき状態に沿って理想を語れる可能性が広がります。

まとめ

自分の感覚やイメージを
言語化しながら
本当の気持ちや本質を探す。

1on1 column 3

自分を、「枠」にはめていませんか？

目標達成の最大の壁は、「自分と向き合う」こと

営業職でも、スポーツアスリートでも、そして経営者でも、「名」がつくほどの結果を出している人々は、目標に対して効果的な方法を頻度高く実践できている、という共通点があります。

効果的な方法を頻度高く実践する、そのために必要なことを掘り下げていくと、能力（技術）と目標への高いコミットメント（意識）に絞られていくように思います。そしてそのどちらにおいても、自分に向き合い正しく分析できるほど、成長のスピードは速く幅は広がると考えられます。しかし、実際に難しいのは、この「自分に向き合えるかどうか」というところだと思います。

後輩ができて、「先輩」「ベテラン」と呼ばれるようになると、深く考えたり準備を綿密にしたりしなくても、それなりに仕事がこなせるようになり、「もう出来る」と不足を感じなくなっていきます。コミットメントが高いつもりでいても、「働き過ぎではないか」「本当にこれはやりたいことなのか」など、意識がずれたり、集中力が途切れたり、思考が邪魔をしてきます。

そしてこのような慣れや意識のず

れは、意外に無自覚で、知らないうちに、自分の中で枠を作っていきます。

無自覚に作られた枠が自分の可能性にフタをする

たとえば、「この領域ではもうやり切った」「私は〇〇なタイプだ」「誰が見たって無謀な目標だろう」「あの人は出来るだろうけれど、自分には無理」など、といった枠です。

枠は、ある意味自分を自分でわかったような感覚が持てるので、安心感が得られて良い面もあります。その一方で、自分で自分の可能性にフタをしてしまうことにもつながりかねません。

自分では自分のことは意外に見えないため、自分がどういう枠を作ってしまっているか知るには、他者からのフィードバックをもらうことが最も手っ取り早く効果的です。

私は常々、コーチングをしているとき、「相手の方にはどんな枠があるのだろう?」ということを頭において対話しています。枠が小さいと、視野が広が

らず、行動範囲も選択肢も減るので、狭い水槽の限られた酸素を懸命に吸収しようとする魚のように、思考も広がらず打つ手も思いつかないので苦しくなります。

枠を取り払うことでもっと自由に楽しくなれる

「自分はまじめなタイプ」という枠に縛られている人がいたら、「あなたは要所要所で、“私はまじめだから”とおっしゃいますね。どういう自分であらねばならないと思っているのですか?」と問いかけます。

“まじめ”ということは一般的には良いこととされ（特に日本では）、おそらくそのように褒められてきたのかもしれません。でも、実際人間にはまじめな面もあれば、そうでない面もあるはずです。そうでない面も場面によっては、自分を自由にしてくれたり、楽しくしてくれたりする部分なのですが、知らず知らずに制限してしまっていることもあるのです。

SEKAI NO OWARIの『Habit』という曲はまさに、そんな思考の罠を指摘してくれています。「モテる人とモテない人」「ちゃんとやる人とやってない人」「陰キャ（明るい人）と陽キャ（暗い人）」「才能ある人と普通の人」、そんな風にジャンル分けしたり、自分を枠にはめてしまったりしていませんか？　本来のあなたの魅力はもっともっとたくさんあるかもしれません。

第4章

実践編

「上司に難あり」
「気持ちが乗らない」
困ったときの対処法！

25

ここがPOINT!

上司が合わないタイプのときは
まずは取り扱い説明書を作ろう！

「上司」に機能してもらう ボスマネジメントを活用する

人柄、相性、感情は抜きで 戦略的に上司とつき合う

「ボスマネジメント」は、あなたが達成したい目標のために、上司を動かす、という考え方です。良い人間関係を築いてあなたの成長を目指す一般的なアプローチとは異なり、人柄、相性、感情は抜きで行う、戦略的、論理的なアプローチです。

そのために、まずおたがいの「取り扱い説明書」を明確にするようなつもりで、自分を開示し、相手を知り、つき合いやすい環境を作ることから始まります。

ボスマネジメントは、あなたの好み通りに上司を変えるということではなく、上司があなたをマネジメントしやすくすることで、あなたが自分の目標を達成しやすくする、ということです。上司が嫌いなタイプだからといって、上司に「私はあなたを認めていない」といったメッセージが伝わるようでは失敗です。「この人を支援していきたい」と思わせることがポイント（成功）です。

あなたの自己開示

- 自分の長期的な目標
- 自分ができること、できないこと
- マネジメント上、やってほしいこと、やってほしくないこと
- プライベートの事情　　　など

キャリアの目標、自分の得手不得手、マネジメントの関わり方のリクエストを伝え、上司があなたをマネジメントしやすくします。プライベートを伝えておくことで、上司に無駄な気づかいをさせないで済みます。

取り扱い説明書のつもりでおたがいに共有する

上司の自己開示

- 上司の目標
- 上司の状況
- 上司の好み、価値観
- 上司の人間関係　　　など

上司のことを知ることで、あなたの目標達成に向けて活かせる社内外の人脈がわかったり、上司が好まないことをしないようにしたりすることができます。直接でも、間接でも良いので情報を集めましょう。

そのうえで次の3つを徹底する

的確に報連相する

報告、連絡、相談は、仕事をする際の基礎力です。相手はあなたに任せて安心だと思うし、あなたも適切なタイミングで支援を得られます。

時間を大切にする

相談する、指導を仰ぐのは上司の仕事なので良いですが、結論の見えない話をだらだらするなど、無駄な時間をとらせないようにしましょう。

「上司扱い」する

大事な場に呼ぶ、感謝を伝えるなど、仮に「使えない上司」と思っても、その役割に支援されている、とドライにとらえリスペクトしましょう。

おたがいの取り扱い説明書をしっかりと把握した状態で、上司と巧みにつき合う。

ここがPOINT!
無駄なエネルギーの消耗状態を、
早急に止める！

年下の上司で何となくやりにくい

新しい関係性にセットアップし直す

ジョブ型雇用の導入など、会社の雇用・配置形態のドラスティックな変化の中、現場の情況は変わり、私たちは様々な変化に直面します。年下上司がやって来るのもよくあることです。

年上、年下にかかわらず、得意な人がやる、これがジョブ型雇用で、組織が変化に適応するために必要な配置といえます。冷静に考えれば、**人には得意不得意があり、「自分の方が経験は長くても、マネジメントはこの人の方が得意なんだ」と理解はできます。でも、頭と気持ちが一致するかは別問題ですよね。**

今までの常識、考え方の枠が頭にしみついていますから、なんとなくこちらが気を使ったり、あちらも気を使っているようだったり、微妙な空気が流れることがよく起こります。**業務上の成果にも影響が出かねないので、1on1を通して新しい関係性のあり方を一緒にセットアップすることをおすすめします。**

◆お互いに遠慮し合っている関係

率直な指示・質問・フィードバックがでない。気を使うため、おたがい疲れるだけでなく、業務上の成果にも影響が出かねない。無駄なエネルギーの消耗状態を早急に止めたい！

◆1on1で新しい関係性をセットアップ

「仕事においては」という枠組みのもと、年齢ではなく任された役割をお互いにどう全うできるといいのか、そのためにどのように協力し合えるか、率直に話し合う。

セットアップに有効なセリフの例

「私は仕事においては、あなたを上司だと思っています」

「こちらの意見を言わせて頂きますが、遠慮せずあなたの意見も聞かせてください」

「ある程度任せて頂きたい。でも違うと思ったら、率直にフィードバックください」

「私から『年上だ』という圧を感じたら、『圧を感じます』と言ってください」

年齢ではなく任された役割を
おたがいに全うするために、
どう協力できるかを話し合う。

ここがPOINT!
上司を配慮しながら
自分の話したい気持ちを伝える

上司が一方的に話してばかりいる

上司と部下の間には認識のズレがある

コミュニケーション力向上を目指す際に覚えておきたい原則としては、**「人は誰でも自分の話をしたい」**ということです。

「上司」という役割であっても、**1on1 ミーティングというのは部下の話を聞く場と理解していても、話し始めたら止まらなくなるというのは何とも人間らしい成り行きなのです。**

コミュニケーションの定点観測リサーチをしてみると、「1on1 ミーティングの場では少なくとも 50%は部下が話す環境を創れている」という質問に対して、上司の６割から７割は「とても当てはまる」または「当てはまる」に回答していますが、一方で部下の７割から８割は「当てはまらない」「全く当てはまらない」に回答する、という現象も決して驚く結果ではありません。

このような情報を考慮し、上司にもっと自分の話を聞いてもらうための対策として、３つのアプローチを取り上げます。

上司に話を聞いてもらう3つのアプローチ

①1on1の前にセットアップ

「今日はこのことが話したい」
「今日はこれについて承認を頂ける場にしたい」と、
あらかじめ目的や意志などをメールで伝えておく。

②1on1の途中にフィードバックやリクエスト

●フィードバックの例

「私が今感じていることを言ってもいいでしょうか？（了解をとる)」「○○さん（上司）のお考えは本当にもっともだと思います（聞いている、ということを示す)」「私も事前に準備をしてこのミーティングに臨んでいますが、まだそのことをお話できていません」

●リクエストの例

「さえぎってすみませんが（クッション言葉)、残り時間も限られています。私が話したいと思っていた話をするお時間を頂いてもいいですか？」

③1on1の最後にアクノレッジメント※

上司が話を受け止めてくれて耳を傾けてくれたら、
「今日は話せてうれしかった」
「話を聞いて頂けてありがとうございます」
としっかりとアクノレッジメントを伝えましょう。
人は、喜ばれるとうれしいものです。

※アクノレッジメントは、「他者の変化（成果や成長）に気づき、それを相手に伝えること」。

まとめ

人は誰でも自分の話をしたいもの
それを踏まえたうえで、
フィードバックやリクエストをする

28

ここがPOINT!

上司を変えるのではなく
自分のアプローチの仕方を変える

上司が何を考えているかわからない

自分が変わることで何が出来るかを考える

上司にも様々なタイプがいます。中には、寡黙で必要以上に話をせず、あまり表情や態度も変わらず、よく言えばいつも安定している冷静沈着なタイプ、でも悪く言うと何を考えているかさっぱりわからない、そんな上司もいます。

業務を進めるにあたって支障がなければ良いですが、話をしていても沈黙が多くて苦痛だったり、説明が不十分で業務のやり戻しやコミュニケーションミスが多かったり、ちょっとした相談がしにくくて一つのことで１週間以上悩んだりする、そんなことが顕在するようであれば対策が必要かもしれません。

ここで重要なのは、日々の業務であれ、1on1 であれ、「どうすれば私が困らないように上司に行動を変えてもらえるか？」ではなく、**「自分自身がどう変われば、より良い状況に変わるか」という視点で考えることです。**

1on 1でのアプローチ

1on1 における関わりは、基本的にはこれまで紹介してきた流れと同じです。まずはおたがいの取り扱い説明書（P106 参照）を把握し、リクエストやフィードバックを通して、より良い1on 1 の環境を築きましょう。さらに相互理解を深めるためには、以下のような方法で、まずは日常の中で、円滑なコミュニケーションを目指しましょう。そのように育んだ関係性は、1on1 の中にも活きてきます。

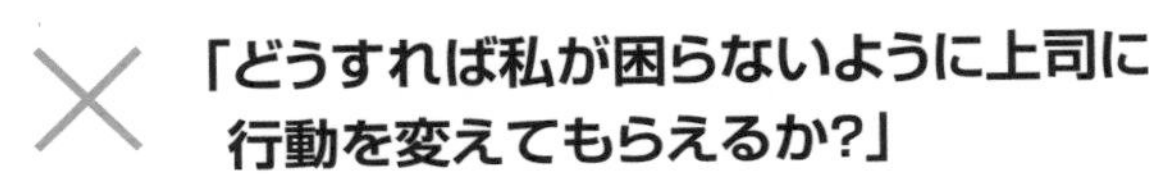

×「どうすれば私が困らないように上司に行動を変えてもらえるか?」

問題はどう考えても「上司が引き起こしているのではないか？」と思えるような状況であっても、あなたが行動を起こさなければ物事は変わりません。

○「自分自身がどう変われば、より良い状況に変わるか?」

たとえば、「私はこの上司を最大限にサポートしていこう」と考えると、上司の目標は何だろう、上司の今の最大の関心事は何だろう、自分の業務のタスクの進捗は上司にどのような影響を与えるか、と上司を主体に考える視点に変わり、コミュニケーションの打開策が見えてくるかもしれません。

- 指示待ちではなく、「私に何かお手伝いできることはありませんか？」と積極的にアプローチをする。
- 次の仕事を予測して「情報をいただければ、私が直接クライアントに交渉できるかもしれません」と提案する。
- 直接聞いてもどうも口下手でだめだ、という場合は、周囲の人の力を借りて上司を理解し、サポートする。

上司を主体に考える視点で
まずは日常業務の中で
コミュニケーションのあり方を模索する。

29

ここがPOINT!

受け手である部下の
1on1 に取り組む姿勢こそが重要

上司を使いこなせるかは、あなた次第

上手くいかないときこそ自分自身を省みる

私は、自分自身にも常にコーチをつけていますが、昔、ふとこんなことを思ったことがあります。コーチングをしても思ったような成果が出せない時期に、「そろそろコーチを変えようかな」と。今から思えば、他責もはなはだしい、とても恥ずかしい経験です。

1on1 は双方向コミュニケーションであり、**上司（コーチ）をいかに使いこなすかは、受ける側の部下（コーチー）の技術や取り組み方次第といっても過言ではありません。**

上司（コーチ）がどんなに良い質問やフィードバックを投げかけても、受ける側にそれを受け止める技術、活用しようとする気持ちが無ければ、上手くいきません。**1on1 で、思ったような成果が出せないときこそ、自分自身の取り組み方を振り返ってみましょう。**

楽器やスポーツの道具

楽器やスポーツの道具を使いこなすには技術が必要。名器といわれるようなものであればあるほど、なおさら。

上司（コーチ）

コーチを使いこなす（活用する）のにも、技術や心がまえが必要。何よりも、一緒に答えを見つけようと必死に取り組む姿勢が大切になる。

1on1 の関係は、スポーツ選手（部下）と道具（上司）の関係に似ている。選手の技術や姿勢が、成功の大きな役割を握る。

最後の答えは、自分で導き出すもの

1on1 は、上司（コーチ）の言葉を受けて、「何か意味があるかも」「解釈を変えるとこうなるかも」と、必死にあなたが答えを見つけ出そうとする作業です。もがいて、考え抜いて、言葉にする過程の中で、大切な気づきを得るものであり、受ける側の姿勢が肝心なのです。

1on1 の成功は、
部下がいかに上司を活用して、
気づきにたどりつけるかにかかっている。

30

ここがPOINT!

自分のことを知らなければ、
より良い人生の選択ができない

自分のことを知ろう

1on1の中でわいた感情から自分の考えや価値観を探る

人生は選択の積み重ねです。好きな仕事、好きな環境、心安らぐ人たち…。しかし、その選択を正しく行うには、基準が明確である必要があります。それは自分をわかっているかどうかということです。

1on1は、上司との対話の中で「もやもや」したり、「いらいら」したり、「わくわく」したりすることもあるでしょう。そういう時こそ、**その気持ちをとらえて、その背景にはどんな意見が隠されているのか、どんな自分の価値観に触れたのかを掘り下げてみる機会です。**

あなた自身があなたを喜ばせるポイント、悲しませるポイントを自覚して、意識的に自分にとっての良い選択ができるようになるはず。**自分を理解していなければ、あなたの心が躍るような仕事や人生を選ぶことはできないのですから。**

自分を知るための練習

感情表現を訓練するための方法として、知人や友人の意見に対して、自分の意見をぶつけてみてはいかがでしょうか？　おおむね共感するとしても、微妙な違いをできるだけ言語化する習慣をつけると、感情表現のボキャブラリーが豊かになります。ぜひ挑戦してみましょう。

全く同じ感想はありえない

ある事柄に関しての感想が、誰かと全く同じになるということはありえません。そこにある微妙な違いこそが、「自分らしさ」を知るヒントになるかもしれません。

おもちゃのプレゼン

アメリカでは、幼稚園のときから自分の好きなおもちゃを紹介する「プレゼンテーションの時間」があります

「私は」このおもちゃでどんな遊び方をしているか、「私は」このおもちゃの何が好きか、などを表現する練習です。

この教育の目的は、プレゼン力向上ではなく、「私は」と何度も自分に問いかけ、自分を自分が説明できるように認識するプロセスにあります。

その前提には、人は自分が感じること、考えていることを、自分で理解するには練習が必要であるという考え方があります。

このような教育を受けて来たアメリカ人に比べて、日本人はなかなか自己表現が苦手だと思います。克服する意味でも、普段から自己表現を意識的に行いましょう。

1on1ではもちろん、
普段の会話の中でも
「私」を表現していこう。

ここがPOINT!
自分は一人では生きられない、
一人で生きなくてもいいことを知る

ファウンデーションが整っていないとき

ファウンデーションをコントロールしよう！

ファウンデーションとは、ビルにたとえるなら、建っている土地の地盤やその下の基礎のような部分です。

ファウンデーションが乱れるのは、どういうときでしょうか？

仕事で大きな失敗をした、友達・家族とけんかをした、などは想像しやすいでしょう。必ずしもネガティブ要素だけでなく、結婚した、子どもが生まれたなどの幸せな局面であっても生活のリズムがいったん崩れ、適応が必要な時期は意外に高いストレスがかかる状態で乱れやすくなります。

まず、ファウンデーションも出来る限り自分でコントロールする意識を持つことが重要です。思いきって休むなど自分で対応することはもとより、一緒に仕事をする人や家族などに共有するのも良いでしょう。1on1 ミーティングなどは、こういうちょっとしたことを話しておく良い機会です。

ファウンデーションが整っていないと…

不安、心配、緊張感などが上昇しやすくなる。

私たちのファウンデーション

生活基盤（家、お金、仕事など）
精神基盤（安心感、適度なストレス［張り合い］、充足感など）

チャンレジ、ポジティブな発想、新しい学習がしにくくなる

そんなときは、周囲に自分の状態を伝える

大きな仕事を抱える、大切な人と離別するなど、自分にはコントロールできない大きなファウンデーションの乱れもあります。そのときは必ず、そして早く上司や一緒に働いている人に共有しましょう。良いチームは、それぞれの目標や強みを共有するだけでなく、弱みや取り組んでいるテーマも共有できているという特長があります。なるべく一人で抱えず、家族、友人、上司、仲間に共有して理解を得ること、そして抱える不安や緊張が大きくなりそうな場合は協力を得ることが大事です。

ファウンデーションが整わないと
様々なパフォーマンスが低下する。
すぐに支援を求めるなどの対策が必要。

32

ここが POINT!

状況によっては、スキップしたり、延期したりするのもOK

「話すことがない」「準備できない」ときは?

1on1 に集中できないときは延期やスキップも検討

上司と定期的に 1on1 の場を設けられていて、かつ業務上必要に応じて 1 対 1 で話が出来ている場合、コミュニケーション量は充足してくるかもしれません。1on1 であえて話すことが無いな、と思ったとき、皆さんはどうしていますか？

予定を決めていたし、上司が定期的に 1on1 をやりたいといっているから、ということに縛りを感じる必要はありません。自分にとっても上司にとっても時間は大事です。**業務が忙しすぎるときなど、1on1 に集中できないままに形式上やるくらいならば、状況を上司に話して、日程を再調整するなり、1 回スキップすることを提案しましょう。**

ただし、上司も話すことを用意しているはずなので、一方的に「スキップでお願いします」と伝えるのではなく、**「いかがですか？」と提案の形で意見を聞きましょう。**

こんなときどうする？

1on1で話すことが
無くなった

忙しすぎて
1on1の準備が出来ない

上司に提案する

POINT!
直前ではなく、
遅くとも2，3日前に

結論を伝える

「今回は忙しいので、スキップでお願いします」

上司の意見を聞く

例「仕事が佳境で、1on1の準備がしっかりとれず、
今回は、スキップさせてもらおうと思っているの
ですが、いかがでしょうか？」

1on1を始めたら数分で解決したときは？

ずっと抱えていた悩みを、**1on1で相談したら、数分で「解決してしまった！」という嬉しいことも往々にして起こります。**せっかく30分や60分と予定してもらっていたのに、残りの時間をどうしよう、と逆に困ってしまうかもしれません。

そういう時は、無理に続けなくても良い、と考えましょう。上司にとってもあなたにとっても、時間は大切です。枠組みや形式にとらわれるよりも、臨機応変に対応するほうが効率も生産性も上がります。**何に気づくことができたか、どういう時間だったかを伝え、終了を提案してみましょう。**

ただし、コミュニケーションは双方向ですから、上司が話したかったことはないか、上司の意向も確認して合意をとって提案することを忘れないようにしましょう。

早々に、問題が解決した!

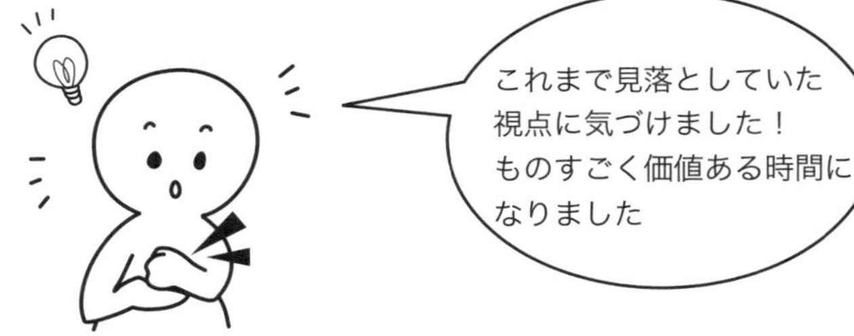

上司に提案する

POINT!
何に気づけ、どんな時間だったかを伝える

結論を伝える

例「本日は、これにて終了させていただきます」

上司の意見を聞く

例「早速実践したいと思います。今回は、これで終了させてもらいたいと思っているのですが、いかがでしょうか？」

上司に話してもらう場にするのも手!

せっかく予定を組んでいる時間ですから、普段と違った有効な使い方もできるのではないでしょうか。一つの案として、「上司に話してもらう場にする」というのはいかがでしょうか。

上司は、あなたと異なるたくさんの経験を持っています。あなたと違う視点で会社やチームや業務を見ているかもしれません。一番身近な、経験や知見のある人から学ぶ絶好の機会です。

普段上司があなたに関心をもって聞いてくれているように、少しばかり長い話を聞くことを我慢してでも（笑）、上司に気持ち良く成功体験・失敗体験、今の会社の上層部の考え方など話してもらえるよう、質問を投げかけてみましょう。以下の３つのテーマで、日ごろの感謝を伝えながら、丁寧に受け止める時間にしましょう。

テーマ1
自分が学べること
・会社、業務での考え方
（課題認識や将来像など）
・成功体験や失敗体験
・今の地位で大事にしていること
・尊敬する上司（理由も）
・良かった本
・フォローしている話題や人　など

テーマ2
上司と関係構築できる事
・ストレス解消法、趣味
・好きなことにまつわる最近のエピソード
・家族にまつわる最近の話
・上司の好き／嫌い
・上司の価値観
・上司のキャリアビジョン　など

テーマ3
上司を使う（活用する）ため有益なこと
・上司の強み、弱み
・社内外のネットワーク（同期、過去の上司や部下〔部門も）
・社外のネットワーク（過去のお客様、OG・OB ネットワークなど）
・上司の今の役割、組織でやりたいこと　など

まとめ

時間を押さえてくれた上司に、
しっかりと意見を聞いたうえで
延期やスキップ、終了を決める。

33

ここが POINT!

気にする必要はないが
目標を考えることは意味がある

どうしても目標を持てないとき

ほとんどの人は明確な目標を持たない

管理職以上の方へのアンケートを見てみると、「今やっている仕事を、やりたいという目標を持っていた人」は、全体の１割ほどにすぎません。目標、特に中長期的な目標をいつも明確にずっと持ち続けて、そこに向かって日々過ごしてきたという方は、大谷翔平選手や藤井翔太名人のような人です。私もそうですが、**多くの人はケ・セラ・セラ（なるようになるさ）くらいにとらえ、明確な目標をなく進んできているのです。**ですから、1on1ミーティングなどで、「あなたがやりたいことは何ですか？」と聞かれて答えられなくても、気にすることはないのです。

ただし、「何をやりたいんだろう？」「何が好きなんだろう？」「自分の強みは何だろう？」と**自分に関心をもって考え続けることには大きな意味があります。**その２つの理由については、右ページで詳しく紹介していきます。

目標について考え続けるのが良い２つの理由

■理由１
本当にやりたいことは自分しかわからない

あなたが将来自分のやりたいことや好きなことに囲まれて過ごしたいのであれば、それは自分で考えるしかありません。まだ形にならない、自分の目標を探りましょう。

■理由２
脳が効果的に働いて答えを見つけやすくなる

答えのない問ほど、脳は忘れることができず固執する傾向があります。つまり、脳は刺激することで、その答えを探すために、効果的に作動してくれます。

リラックスして考えるのがおすすめ

目標が無いなら、考える機会を意識的に持ちましょう。そのときは、なるべく楽しく、リラックスして、考えられる環境を作ることをおすすめします。

たとえば、そういう話をする1on1のときは、あえて会議室ではなく上司とカフェに行って話をしてみるのも良いでしょう。

あるいは、絵を描きながら話してみたり、逆に自分がモデルにしたい人に話を聞く時間をとったりするのも効果的です。

あなたの心が望むような未来を描いてみてください。今の生活の意味や価値もきっと変わってくるのではないでしょうか。

まとめ

目標を考え続けることで脳が活性化されて目標に気づきやすくなる。

自分の本音がわからないとき

本音というものは自分も把握できていない

1on1をする上司の悩みで「部下が本音を話してくれない」というものがあります。一方で部下の方に聞いてみると、「本音で話しているつもり」「本音が自分でもわからない」のだそうです。このギャップはどうして生まれるのでしょうか？

1つは、**「自分が見ている自分と、他者がみている自分にはギャップがある」**という点です。もう1つは、**「感覚的にとらえていることは、人に説明できるほど、きちんと思考されているとは限らない」**という点です。

どちらの場合も、感覚的、直感的なとらえ方にすぎないことが原因です。感覚、直感は、その人の本質的な価値観やスタンスから起こることが多く、とても大事な要素です。だからこそ、**感覚、直感を材料に対話を丁寧に重ねることで、「自分の本音」を自覚できるようになり、人にも伝えられるようになるでしょう。**

前提　人は自分のことを正確に把握できていない

■ケース1

「自分の欠点は臆病なこと」と思い込んでいる

私は「臆病」なんです。大勢の知らない人に混じると、話せなくなってしまうんです。

それは「臆病」ではなく、「過緊張」ではないですか？

■ケース2

「将来のことは考えていない」と思い込んでいる

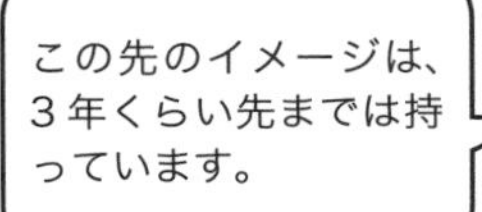

それは十分、将来について考えているのかもしれませんね？

対話の中で、解釈が変わったり、気づかされたりする

1on1は、形の無いものに形を与える

誰かと話していたら、頭が整理されたり、思ってもいなかったことに気づいたりした…そんな経験は誰にでもあると思います。本人すら明確になっていないことや、自分のおぼろげな感覚に意味を見い出したり、そんな形になっていないものに形を与えるのが1on1(コーチング)の大きな役割です。

本音がわからないからこそ
1on1（コーチング）を通して
本音を探していく。

ここが POINT!
自分がなぜ傷ついたのか
まずは振り返りをする

傷つく一言を言われたとき

傷つく言葉も、まずはニュートラルに受け止める

1on1 の中で、上司のフィードバックによって、一方的にダメ出しをされたように感じたり、正論のオンパレードで言い返せなかったりして、あなたが傷つくことがあるかもしれません。

そもそもフィードバックは、相手の成功や成長のために行うものという大前提があります。もし、**あなたの心が傷ついただけで、全く成長につながらないのであれば、それはミスコミュニケーションと言えるでしょう。**

まず、「どうして私は傷ついているのか？」、振り返りをしましょう。そこから「上司はあえて、きついことを言って、私の成長をうながしていたのだ」と気づけるかもしれません。

あるいは、上司がなぜそのようなことを言ったか、フィードバックをするべきです。**上司の見えなかった意図が見えるかもしれないし、上司の話し方や態度が改善されるかもしれません。**

なぜ傷ついたのかを考える

確かに正論だけど、性格だから治しようがないよ。そんなにくどくど、過去を蒸し返さなくても。とほほ〜

きみには締切りを守ってほしい。昨日も〜、先日の案件も〜、くどくど…

傷ついた理由

- 先日の案件が遅れたのは、クライアントが原因で自分だけのせいではない。
- 一方的に叱責されて、フィードバックの機会を与えられなかった。

上司の真意

彼にとっては受け止めるのがきつい事実かもしれないが、彼の将来のためには、だらしないところを改善させてあげたい。

振り返りやフィードバックを通して、
コミュニケーションのミスマッチを解消していく！

傷ついたことをフィードバックするコツ

上司にフィードバックをするさいには、上司にこんなことを言われたという客観的に事実と、あなた自身がこういう理由で傷ついているという主観的事実を組み合わせて伝えてみましょう。「厳しい一言になるのを覚悟で言ってみた。最後まで寄りそうから、一緒に解決しよう」とか、「こういうつもりで言ったんだ。今後、言い方を改善するよ」といった上司の真意が聞けるかもしれません。

傷つく言葉もまずは受け止める。
そのうえで、フィードバックを通して
相手の真意を聞き出す。

1on1 column 4

コミュニケーションは、「誰が話すか」が大切！

「誰が話したか」は、実はかなり重要な要素!?

「私は天才ではありません。なぜかというと僕はどうしてヒットを打てるかを説明できるからです」

世の中には名言といわれるものがたくさんありますが、私が特に好きなのがこちらです。まず、言葉そのものが印象に残りました。そして、その言葉を発した方の名前を見て、この言葉はさらに深く心に染み入りました。この名言は、元メジャーリーガーのイチローさんの言葉です。

コミュニケーションで大切なのは、「相手に伝わった」という事実です。伝わるコミュニケーションを考える上で、一般的には「何を話すか?」「どう話すか?」が注目されがちだと思います。でも、実際、人間同士が行うコミュニケーションにおいては、「誰が話すか」という点も忘れられない要素なのです。

論理脳の判断よりも感情脳の判断が上回る!?

組織の中で物事を動かそうとするとき、人の協力を得ることが必要です。このとき、明瞭な説明は人を巻き込む際の一つの有力なカードにはなりますが、「誰が話しているか」というこ

とと掛け算で影響力を持っていくものなのです。説明からは今一つ確証が得られなくても、たとえ損得勘定で利がなくても、「この人の頼みなら」という気持ちが大きく動けば人は動いてくれることもあります。人が行動を選択するさい、実は最終的には論理脳の判断を感情脳が凌駕（りょうが）するともいわれているのです。

特に、まだ経験の無いイノベーティブな施策や、未来を創っていくようなアイディアなどは、確証となる市場データもありませんし、他社との比較データなどもないはずです。

周囲の目ばかり気にする必要はありませんが、常に広い視野でモノを見て、オープンマインドで考えて行動していることは、周りの人のあなたへのとらえ方も変化させていきます。あなたの提案が上司を動かしたり、一緒に働くメンバーを動かしたりすることができるとしたら、それは周囲の人たちが常日頃からあなたをよく見て、評価しているからとも考えられます。「この人が言うなら」、そう思ってもらえたら素晴らしいことですよね。

参考図書：『経済は感情で動く：はじめての行動経済学』マッテオ・モッテルリーニ著（紀伊國屋書店）

おわりに

時代が変わってきています。働き方も仕事に対する考え方も、個人の価値観が尊重されています。楽しさを優先する自由、時間を好きに使える自由、意見を言える自由が、手に入りやすくなるでしょう。

自由とは、選択できる権利です。それは同時に、自分で責任を全うすることでもあります。上司は目標や仕事を与えておきながら、「あなたはどうする?」と問うてきます。やり方も自由、考え方も自由、学習機会もあるが、選択はあなた…。そんな組織になってきています。

結局は、自分で悩み、考え、決断しなければならない局面は増えるはずです。自分にとって良い選択をし、選択の幅を広げるために、1on1ミーティングという機会をどう活用するのか。単なる上司と話す制度とだけとらえずに、あなたの成長や成果につなげてください。

リンドリー・アンド・カンパニー株式会社
LINDELY&CO.,LTD.
代表取締役・エグゼクティブコーチ
佐々木葉子

佐々木葉子

リンドリー・アンド・カンパニー株式会社
LINDELY&CO.,LTD.
代表取締役・エグゼクティブコーチ

建設会社、コンサルティングファームを経て、2001年株式会社コーチ・トゥエンティワン入社。その後株式会社コーチ・エィの設立に伴い転籍。以来コーチングの手法を軸とした法人向けのリーダーシップ開発及び組織開発のコンサルティングを行っている。2010年から2013年、コーチ・エィの上海拠点を設立し初代現地代表を担う。2018年独立し現在の会社にて引き続き法人向けのコーチング・コンサルティングを行っている。特に、海外での生活・業務経験や、組織の立ち上げから規模拡大への経験をもとにした、ダイバーシティに関するテーマや、組織全体のコミュニケーション活性化などのテーマを得意とする。プロフェッショナルとして活躍するコーチの更なる品質向上に向けたメンターコーチ及びスーパーバイザーとしての活動も積極的に行っている。

国際コーチ連盟認定マスターコーチ
コーチングスーパービジョンアカデミー認定スーパーバイザー

お問い合わせ

リンドリー・アンド・カンパニー株式会社　LINDELY & CO., LTD.
〒107-0062　東京都港区南青山2丁目2-15 ウィン青山942号
TEL　03-6403-7564　FAX　03-6893-3931
URL　lindely.co.jp
Mail　info@lindely.co.jp

STAFF

著者　佐々木葉子

デザイン　白土朝子

DTP　センターメディア

編集　高橋淳二・野口武（以上　有限会社ジェット）

成長したい人のための「1on1」活用バイブル
上司との対話で最大の成果を得る！

2023年8月5日　第1版・第1刷発行

著　者　佐々木 葉子（ささき ようこ）
発行者　株式会社メイツユニバーサルコンテンツ
代表者　大羽孝志
〒102-0093東京都千代田区平河町一丁目1-8
印　刷　株式会社暁印刷

◎『メイツ出版』は当社の商標です。

ご意見・ご感想はホームページから承っております
ウェブサイト　https://www.mates-publishing.co.jp/

企画担当：清岡香奈